メタバースビジネス覇権戦争

新 清士 Shin Kiyoshi

はじめに

もともとSF用語でしかなかった「メタバース」という言葉がいつの間にか一般化し、日々、新たなサービスが開始されたというニュースを目にするようになりました。メタバースはインターネット上に存在する社会的な仮想空間のことで、言葉が広がり始めた当時は、現実世界に対して限定的な影響しかもたない、いわば「バズワード」のように思われていました。

しかし、具体的なサービスが一つまた一つと提供されるにつれて、メタバースを仮想空間と現実世界が融合した経済圏として、さらには「新しいビジネスチャンスが生まれる場」として捉える見方が主流になってきています。

メタバースは、次世代のインターネットになるとも言われ、その経済規模は今後8兆～13兆ドルに到達するという予測もあります。そのため、メタバースビジネスのプラットフォーマーの座をめぐって、すでに激しい覇権争いが始まっています。よく言われることですが、インターネットの世界は勝者総取りになる傾向が強く、技術的な転換点がきたタイミングで、いかに自社にとって有利な環境を築けるかが、その後のビジネスの成長を決定的に左右することが多いためです。

２０２０年に始まったコロナ禍によって、多くの人が自宅から出ることが難しくなり、教育や仕事の場がオンラインへと急激にシフトしました。こうした社会の変化がメタバースを後押しする要因になっていることは間違いありません。

ＶＲ・ＡＲ技術の発達も、メタバースに大きな影響を与えています。ＧＡＦＡＭと呼ばれる米巨大ＩＴ企業の一角、メタ・プラットフォームズ（旧社名フェイスブック）がこの分野をリードしていますが、それに追いつこうと各社が新デバイスの発表や、関連技術の開発を急いでおり、大小さまざまなイノベーションが短期間で起きているのです。

巨大ＩＴ企業は、自らのサービスやプラットフォームのシェアを拡大すべく活発に新技術を投入しています。一方で、さまざまなスタートアップが、関連する技術を応用しながら未知の事業領域をつくり出そうとしています。果たしてメタバースは、今後どのように進化し、私たちのビジネスや生活とかかわってくるのでしょうか。

私は２０１６年に『ＶＲビジネスの衝撃――「仮想世界」が巨大マネーを生む』（ＮＨＫ

出版新書）を上梓しました。２０１９年に発売された、ＶＲ空間で複数のプレイヤーともに剣を使ってダンジョンに挑むマルチプレイゲーム「ソード・オブ・ガルガンチュア」の開発・運営に主導的立場でかかわり、その後も新サービスの開発者として、ＶＲ・メタバース技術の最先端を見てきました。いま広がりつつあるメタバースは、ＶＲビジネスの延長線上にあると言えるものであり、まさに私が追いかけ続けてきたものです。

本書では、先行する各企業の具体的な戦略から、来るべき「メタバース経済圏」の姿を描き出したいと考えています。第１章では、メタバースが定着しつつある現在の状況を解説します。そのうえで、メタバースで用いられている技術がどのようなもので構成されているのか、どのようなアイデアによるものなのかを手短にまとめたいと思います。改めてメタバースとは何かを整理することにも役に立つはずです。

第２章では、メタバースの先駆的存在である「セカンドライフ（Second Life）」、現時点のメタバースの代表格であり月２億人のユーザーを誇る「ロブロックス（Roblox）」、ゲームとメタバースの融合とも言える「フォートナイト（Fortnite）」に焦点を当て、それぞれのビジネスモデルを紹介します。じつは、メタバースにはゲーム由来の技術が数多く使われています。本章では、その理由と必然性を説明したいと思います。

第３章では、メタバース分野をリードするメタ・プラットフォームズの戦略を分析します。メタの前身であるフェイスブックは、２０１４年にＶＲデバイスのベンチャー企業オキュラスＶＲ（Oculus VR）を買収しました。マーク・ザッカーバーグＣＥＯは、最初から、このＶＲデバイスに単なるゲーム機以上の役割を期待していました。実現しつつあるメタバース経済圏の姿と将来性を探っていきます。

第４章では、先に述べたメタ以外のＧＡＦＡＭを扱います。特に積極的な動きを見せているのはマイクロソフトで、ゲーム市場と得意のエンタープライズ市場を通じてメタバースビジネスの覇権を握ろうとしています。アップルも、iPhoneというスマートフォン端末のＡＲ機能を充実させることによって、着実に基盤技術の積み上げを図っています。各社の戦略を見ていると、ＧＡＦＡＭの壁は高い、ということをみなさんも痛感することになるでしょう。

一方、第５章では、新興勢力のメタバース戦略を取り上げます。ＡＲで独自のメタバースをつくることを目指す「ポケモンＧＯ」で知られるナイアンティック、ブロックチェーン技術によるメタバース構築を図る「ザ・サンドボックス（The Sandbox）」、ＶＲデバイス向けのメタバースとして先行する「ＶＲチャット（VRChat）」など、いずれもＧＡＦＡＭに一矢を報いる可能性を持っています。

最後の第６章は、メタバースの未来がテーマです。今後数年で起こることと、中長期的に起こりうる変化について探っていきます。メタバースに対する過剰な期待と、誇大広告的な言説を整理したうえで、どこに新しいビジネスチャンスがあるかを解説します。

　本書がみなさんのメタバースについての理解を深め、そこから広がる新しいビジネス市場の可能性について知るための一助になれば幸いです。

メタバースビジネス覇権戦争　目次

＊引用箇所で出典のないものは著者が取材した情報に基づく。また訳者表記のないものは著者による訳出。為替レートは、表記がない場合は取材時のもの。ＵＲＬはすべて２０２２年７月現在のもの。

第1章　誰が覇権を握るのか

コミュニケーションが大きく変わる

２０２１年10月、「メタバース」という単語が全世界で急激にバズワード化しました。原因は言うまでもないでしょう。米ＩＴ大手でＧＡＦＡＭの一角とされる「フェイスブック（Facebook）」の「メタ（Meta）」への社名変更です。

ＶＲハードウェアベンチャーのオキュラスＶＲ（Oculus VR）は、２０１４年にフェイスブックに買収されましたが、年一度の定期カンファレンスであるオキュラスコネクトは、２０２０年にフェイスブックコネクトへと名前を変えながらも続けられていました。しかしこの年、事前の告知サイト上には、「フェイスブックコネクト」の「フェイスブック」という文字がなく、単に「コネクト」とだけ表示されていました。そのため、フェイスブックがカンファレンスに合わせて社名を変更するという噂(うわさ)でネット上は持ちきりでした。このとき、「メタ」を予測していた人はほとんどいなかったように記憶しています。

一方、マーク・ザッカーバーグＣＥＯは、カンファレンスに先立つ同年7月、米ニュースサイト、ザ・ヴァージのインタビューで、フェイスブックをメタバース企業へと切り替えていくことを構想していると述べていました。

「それ（メタバース）は私たちが最重視しているテーマの多くに関わっています。第一にコミュニティやクリエイターのことであったり、第二にデジタルコマースのことであった

メタバースについて語る、メタ社マーク・ザッカーバーグCEO。

り、さらにはVR（仮想現実）やAR（拡張現実）のようなもので、『センス・オブ・プレゼンス』をつくり出し、次世代のコンピュータのプラットフォームを構築するようなことです。現在、フェイスブックで行われているさまざまな取り組みは、基本的にはメタバースの構築のために連携していくことになると思います。連携がうまくいけば、今後5年ほどの間に、当社を主にソーシャルメディアの会社と見ていた人たちに、メタバースの会社になったと効果的に思わせることができると考えています」

同社がこの10年あまりで巨大化することになったのは、SNSサービスとしてのフェイスブックの成長のためでした。2005年頃から言われるようになった「Web2.0」型のサービスとして、多くのメリットを享受したことによって業績を急速に伸ばすことができたのです。Web2.0とは、もともと一方向的な情報発信の機能しかなかったウェブが、プラットフォームを通じて、双方向的に情報発信ができるようになったことを言います。それを誰もが手軽に利用できる形で提供したのが、ＳＮＳのようなサービスを展開するプラットフォーマーと呼ばれる存在の登場でした。動画サイトのユーチューブやニコニコ動画、メッセンジャーサービスのＬＩＮＥといったもの、また、アマゾンや楽天のようなｅコマースサイトも含まれます。

ＳＮＳ上でのサービスは、基本的にテキストや画像、動画といった二次元（２Ｄ）データによるコミュニケーションが主体です。それらがメタバースでは三次元（３Ｄ）主体へと移行することによって、ユーザー間のコミュニケーションのあり方が大きく変わると考えられています。こうした文脈を念頭に置くと、ザッカーバーグ氏はフェイスブックを二次元が主体のＳＮＳサービスの会社から、三次元のコミュニケーションを中心とするメタバースの会社へと生まれ変わらせようとしていることがよくわかるでしょう。

先んじるメタ・プラットフォームズ

ここでキーワードとなっているのが、「センス・オブ・プレゼンス」という言葉です。この言葉は「没入感」、あるいはそこに物が実際に存在するかのように感じられるという意味の「実在感」と訳されますが、バーチャルリアリティ（VR）の最大の強みとも言われてきました。その強みを活かすべく、VRのハードウェアはゲームの世界に入り込むための装置として開発され、ソフトウェアはゲームの世界を精巧につくりあげるよう発展してきた経緯があります。「しかし」と、ザッカーバーグ氏は言います。

「メタバースはバーチャルリアリティだけを意味するものではありません。VR・ARデバイスがなくとも、パソコンやモバイル機器、ゲーム機など、さまざまなコンピューティングプラットフォームを通じてアクセスできるようになります。また、多くの人がメタバースは主にゲームのためのものだと考えています。エンターテインメントが大きな部分を占めるのは確かですが、私はそれだけではないと考えています」

VRのこれまでの主戦場は、たしかにゲームでした。そのためメタバースと言うと、ゲームのイメージが強くありました。しかし、ザッカーバーグ氏は、メタバースを他のユーザーとのソーシャル体験の環境として提示しようとしているのです。事実、「XR」と呼ばれるVR、AR、MRなどの分野の技術は、ゲームの技術を多数吸収しながら成長を続けており、メタバースがソーシャルな体験を実現するうえで重要な要素となっています。

VR（仮想現実、Virtual Reality）とは「限りなく現実に近い体験が得られる」ことを実現する技術を意味します。通常は、VRデバイスなどを装着することで、完全にCGの世界に入り込んだ体験を実現することを目指しています。それに対してAR（拡張現実、Augmented Reality）は、現実の世界にコンピュータで情報を付加または合成して表示する技術を指します。MR（複合現実、Mixed Reality）は現実世界と3Dやホログラムなどのバーチャルな世界を同期させることで、新しい体験を実現するための技術のことです。

現時点では、メタバースの最右翼として、「ロブロックス」や「フォートナイト」の名前が挙げられることからわかるように（これらについては次章で扱います）、メタバースは必ずしもXRがなければ成り立たない分野とは考えられていません。しかし、XR、特にVRに力を入れているメタは、今後のメタバースにとって重要な要素は「没入感（実在感）」であるとしています。現在のXRブームの火付け役となったのは、2013年に登場したVRデバイス「オキュラスリフトDK1（Oculus Rift DK1）」です。これはVRを利用することによって、ビデオゲームの世界に実際に入り込むことを目標に掲げたハードウェアでした。リアルタイムでゲームの世界に入り込むというのは、ゲームユーザーの長年の夢だったからです。

その後、ハードウェアを開発していたオキュラスVRは、フェイスブックに買収され、現在は同社の戦略の重要な一翼を担うようになっています。特に、2020年に発売されたVRデバイス「オキュラスクエスト2（Oculus Quest 2）」（2021年、社名変更に合わせ

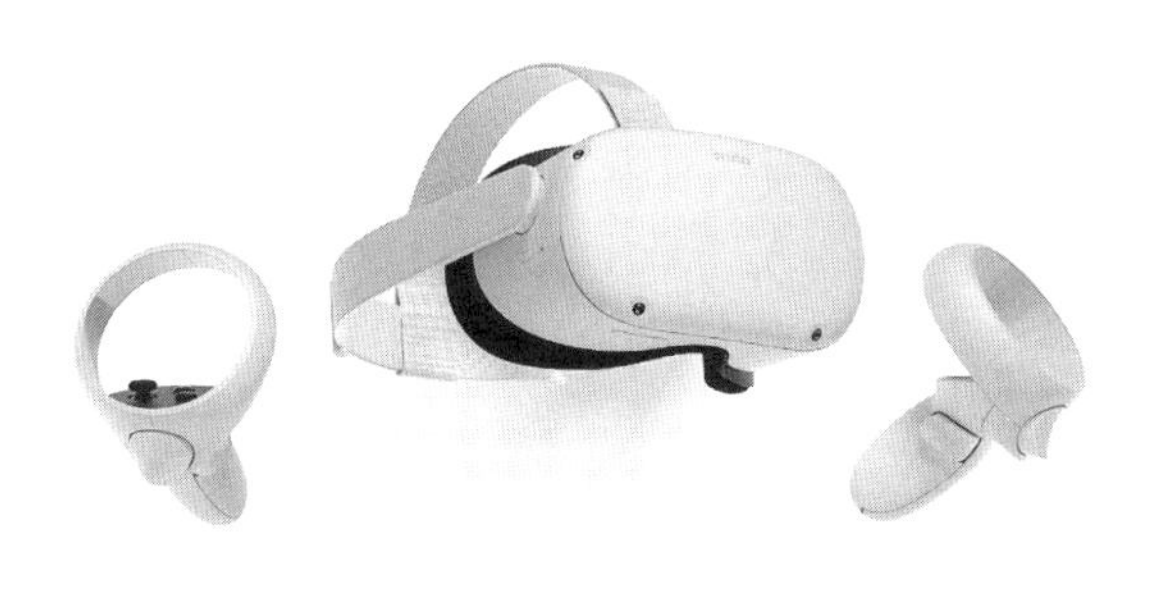

2020年に発売されたVRデバイス、クエスト2（Quest 2）。

て「メタクエスト2〔Meta Quest 2〕に改名。以下「クエスト2」）は2022年5月には1500万台近くを売り上げる大ヒットとなりました。ARやMRでは、まだ有力な一般向けハードウェアは登場していません。2016年にマイクロソフトがMRデバイス「ホロレンズ（HoloLens）」を発売したものの、価格の高さから利用は一部の産業用途に限られました。

一方、ARのサービス自体は、スマートフォン向けのアプリを中心に広がっています。有名なのはナイアンティックの「ポケモンGO」で、2016年のサービス開始後、2019年に世界累計ダウンロード数が10億を突破するなど、現在も高い人気を誇っています。ナイアンティックがこの分野で存在感を発揮し続けることができるかは、次の人気タイトルを生み出すことにかかっています。

いずれにしても、デバイスの普及の面でメタが一歩先んじているのは確かです。そして、没入感というVRの強みを活かして、メタバースビジネスのプラットフォーマーの座を狙っている。先のザッカーバーグ氏の発言は、こうした構図を踏まえて読まれるべきでしょう。

メタバースは次世代のインターネット

はたして2021年10月28日、フェイスブックからメタへの社名変更が発表されました。そこでザッカーバーグ氏は、メタバースこそがインターネットの次の時代を築くことになるのだと、力強く語っています。

「私達はメタバースがインターネットの新時代を築くと信じています。私達はお互いにどれだけ離れていても、同じ場所にいるように感じられるようになるのです。より楽しく、より没入感のある新しい表現方法が可能になります。息をのむような新しい体験が実現するでしょう。両親に子どもの写真を送るとき、写真の瞬間をその場で共有しているような体験を届けられます。友達とゲームをするとき、自分の部屋ではなく友達と一緒に異世界を冒険しているような体験ができます。メタバースでのミーティングは画像越しに同僚の小さな映像に話しかけるのではなく、同僚と同じ部屋に集まってアイコンタクトを取りながら、空間を共有しているように感じられます」（訳はhttps://youtu.be/Uvufun6xer8より）

このように述べたうえで、ザッカーバーグ氏は、メタバースというテクノロジーの核心を、人々の体験やつながりに置きます。

「それこそが私達の提唱する具現化されたインターネットです。画面を見ているのではなく、全身で体験するのです。いま私達がネットでやっていること、人とのつながり、ゲーム、仕事、エンタメなどのすべてのことが、もっと自然で鮮やかになります。これはネットで過ごす時間が長くなるのではありません。私達の過ごす時間がより豊かになるのです。画面だけでは人間の表現や体験を完全に伝えることはできません。画面はその場にいるという感覚を伝えきれない。しかし、次世代のインターネットならそれができるのです。私達はその実現に取り組んでいます。人々の体験やつながり、人間を中核に据えて構築されるテクノロジー、それがメタバースです」(同前)

この発言のなかにこそ、ザッカーバーグ氏が没入感や実在感をメタバースの重要要素と位置付けている理由が詰まっています。リアルとバーチャルが連続する世界が現れたとき、スマートフォンの小さな四角形の画面では不十分です。全身でストレスなしに体験するためのデバイスが必要になってくるはずです。それによって実現されるものこそメタバースであり、次世代のインターネットと言いうるものなのだ。こうザッカーバーグ氏は考えているようです。

ザッカーバーグ氏の言う「次世代のインターネット」は、「インターネット2・0」とも呼ばれたりします。それが具体的にどのような形をとるかは、まだはっきりとしておらず、誰にもわかりません。しかし、メタへの社名変更後、メタバースに対しての期待は過剰なほど広がりました。

例えば、2021年11月には米大手金融機関のモルガン・スタンレーのアナリスト、ブライアン・ノワク氏の「メタバースには8兆ドルの市場規模がある」という分析が、ニュースメディア、フォーブスに引用されて話題となりました。ノワク氏は、「現在のデジタルプラットフォームのように、メタバースは、オフラインに存在する製品や広告とeコマースのプラットフォームとして、当初は運用されると予想しています」と述べています。

もちろん、8兆ドルという巨大な額は、すでに存在するグーグルなどの巨大IT企業、メタバース銘柄として注目を浴びるロブロックス（Roblox）に代表されるゲーム会社、ゲーム開発に関連するユニティ（Unity）などの時価総額を合計したもののようで、極端すぎる数字のように感じられます。挙げられた企業すべてがメタバースに関連すると位置づけられるかも、疑問です。しかし、その後もメタバースによって巨大な市場成長が起こるという予測をさまざまなシンクタンクが争うように発表しました。

特に注目を集めたのは、2022年3月に米金融大手のシティグループが発表した、2

030年までにメタバースの経済圏が最大13兆ドルに達する可能性がある、とのレポートです。これは、2030年までにはスマートフォンで5G、ブロードバンド、Wi-Fi環境を利用できるユーザー数が50億人に達し、VR・ARのユーザーが9〜10億人になるという予測を前提とした数字です。そのユーザーのデジタル関連支出や、そのための設備投資の30〜40%がメタバース的なメディアを通じて起きる、もしくは実現可能になるとしています。

このレポートでは、メタバースがコマース、芸術、メディア、広告、医療、ソーシャルコラボレーションなどさまざまなケースに応用される可能性が挙げられています。しかし、市場の成長が進むためには、インフラへの投資が必要で、メタバースのコンテンツを問題なく体験するには、現在のコンピュータの計算効率を1000倍ほど向上させることが必要になる、ともしています。つまり、まだまだ理想的なメタバースの実現には、コンピュータ性能の向上が欠かせないのです。

いずれにしても、こうした発表を通じて、メタバース経済圏の可能性が積極的に議論されるようになったことで、そこが新しいビジネスチャンスの場であるという期待は高まっています。特にコンピュータにかかわる事業者では、今後数十年にわたる大きな転換点が訪れたと感じている人が少なくありません。なぜメタバースが新しいビジネスチャンスの場になりうるのか、なぜ今後数十年にわたる大きな転換点となるのか。これらは本書の大きなテーマでもあります。

仁義なきM&Aの動き

目下、さまざまな企業がメタバースをキーワードに新事業への進出や、大規模な企業買収を活発化させています。例えば、2021年11月9日、ゲームエンジン会社の大手であるユニティは、世界的な映像制作スタジオとして知られるニュージーランドのウェタデジタル（Weta Digital）を16億2500万ドルで買収すると発表しました。同スタジオは映画「アバター」「ロード・オブ・ザ・リング」「ワンダーウーマン」などで、CGを駆使した映像制作を担ってきた実績があります。

ユニティが発表したプレスリリースには、「この買収はウェタ独自の高度なビジュアルエフェクト（VFX）ツール群を、世界中の何百万人ものクリエイターとアーティストに届け、さらにツール群がユニティのプラットフォームに統合された暁（あかつき）には、次世代のリアルタイム3Dを生み出し、メタバースの未来を形づくることを目的としたものです」とあります。コンピュータの性能が向上するにつれて、いまやハリウッド映画のような領域でも、撮影した映像とCGをリアルタイムで合成するような製作手法が当たり前になりました。このプレスリリースを読む限り、ユニティはリアルタイム3Dのコンピュータグラフィックス空間のことをメタバースと呼んでいるように理解できます。

ユニティはもともとスマートフォン向けのゲームエンジンの企業として大きく成功し、現在では家庭用ゲーム機の分野にも進出。さらにはリアルタイム3Dのツールとして、製造業、建築や医療などゲーム以外の分野でも存在感を高めつつある企業です。ゲームエンジンについては後述しますが、そのユニティがなぜメタバースに力を入れているかというと、メタバースとリアルタイムCGの技術との間に深い関係があるからです。そして既存のVFX用ツールを、ゲームエンジンと統合していくことは、メタバースに対応する膨大なコンテンツをつくり出していくうえで有利に働くと考えられます。こうした背景もあり、ユニティは有力映像制作スタジオの買収に踏み切ったのでしょう。

同じく、ユニティのライバルでもあるゲームエンジン大手のエピックゲームズ(Epic Games)もメタバースに敏感に反応し、2021年11月23日に音楽ゲーム会社、米ハーモニクスミュージックシステムズ(Harmonix Music Systems)の買収を発表しました。

このゲーム会社は「ギターヒーロー」「ロックバンド」「ダンスセントラル」などのいわゆる「音ゲー」を欧米圏で大ヒットさせてきた老舗(しにせ)です。近年では、VRゲームの開発を行ってきた実績もあり、買収に際して「今回、エピックと協力して、我々のユニークな音楽ゲーム体験をメタバースに提供することで、再び期待に応えることができると思います」と、メタバースという言葉を使ってコメントしています。エピックゲームズはほかにもゲーム会社の買収を続けており、同社のゲームエンジン「アンリアルエンジン（Unreal Engine）」でゲームを開発する有力ゲーム会社をグループ会社として傘下に納めることに力を入れているようです。

一方で、エピックゲームズは大ヒットゲーム「フォートナイト」の開発運営会社でもあります。「フォートナイト」は100人が同時にプレイして、最終的に一人が生き残るまで競い合うサバイバルシューティングゲームで、全世界で絶大な人気を誇っています。最大1230万人以上の同時アクセス者数と、2017年のリリースから2019年までの2年間で90億ドルもの売上を記録したと言われています。

「フォートナイト」は、メタバースの代表格として名前が上がることの多いゲームでもあります。詳しくは次章で扱いますが、天才的なプログラマーとしても知られるティム・スウィーニー創業者兼CEOが2021年3月に最大60人で遊べることが売りの人気ゲーム「フォールガイズ」のトニックゲームズグループ（Tonic Games Group）を買収した際のプレスリリースで「エピックがメタバースの構築のために投資していることは秘密ではありません」とコメントしているように、同社はアンリアルエンジンの拡張を通じたメタバース側面支援と、ゲーム会社として独自のメタバースを構築するという戦略をとっており、今後の展開が注目されます。

メタバースとゲームエンジン

いま見てきたように、メタバースには、家庭用ゲームやスマートフォンゲームなどのいわゆるビデオゲームを通じて発展してきた技術が数多く転用されています。特に、この20年あまりの期間でコンピュータ性能が大幅に向上したことによって、リアルタイムに3DCGを表示する技術は劇的に向上しました。2020年に発売になったソニーの「プレイステーション5（PS5）」では、もはや実写映像と区別がつかないようなリアルタイムCGを表示することも可能です。

また、それらのCGを扱うために、「ゲームエンジン」と呼ばれる専用プログラムが発達しました。そしてこのプログラムは、各社の競争激化によって、非常に安価に提供されるようにもなり、多くの企業がメタバースそのものを開発しやすい環境が整ってきています。

ゲームエンジンは、各ゲーム会社が独自に開発している場合も多いですが、近年ではユニティが提供している「ユニティ」とエピックゲームズが提供している「アンリアルエンジン」が二大勢力として存在しています。利用する企業は決められた使用料やライセンス料を支払って利用します。一方で、小規模事業者や個人開発者の場合は無料でも使うことができるため、多くの開発者が利用しており、これらのゲームエンジンが世界的なシェアを二分しているような状態になっています。

現在の多くのメタバースはどちらかのゲームエンジンを活用してつくられていることがほとんどです。例えば、後述するメタのメタバース「ホライズンワールド（Horizon Worlds）」やＶＲＳＮＳの「ＶＲチャット（VRChat）」はユニティを使って開発されています。

ゲームエンジンの「エンジン」と聞くと、どうしても自動車のエンジンを考えてしまうかもしれませんが、実際には自動車工場をイメージするほうが近いと思います。自動車をつくるには、タイヤや車軸、本革シートなどが大量に必要になります。また、どのようなゲームでも必要な機能があります。３Ｄを描画するためのレンダリングシステムや物理演算システム、ユーザーインターフェイスなどです。これらをゲームごとに新しく開発するのは、自動車をつくるたびに、タイヤから開発し直すようなものです。

ゲームエンジンには、ゲームを作成するためのパーツがあらかじめ用意されています。もちろん、それぞれのゲームエンジンの特性によって、得意な分野、不得意な分野があり

映画「マトリックス レザレクションズ」に合わせて公開された「The Matrix Awakens: An Unreal Engine 5 Experience」の予告編動画より。

ますが、いずれにしても事前準備を最小限にゲームの開発を進めることが可能となるというのは同じです。

やがて、ゲームエンジンは次第にゲーム以外の領域でも活用されるようになりました。リアルタイムCGを扱ううえで最も技術的に進んだ技術を提供していることから、映像制作や建築のビジュアライゼーション、工場インフラの設計や管理、自動車産業での設計やテストなど、応用可能なさまざまな分野に広がっています。

ゲームエンジンの進化を体感していただくには、エピックゲームズが2021年に映画「マトリックス レザレクションズ」に合わせて公開したPS5とXbox向けのデモンストレーションプログラムがうってつけではないかと思います。

これは映画「マトリックス」の世界を模した巨大な都市をゲームエンジンによって再現したもので、映画さながらのアクションシーンのあと、プレイヤーは街を歩き回ったり、車を走らせたり、空を飛んだりして自由にこの世界を楽しむことができるようになっています。

驚くべきは、通りを歩く人、道路を走る車などがＡＩプログラムによってリアルタイムで自動制御されていることです。このデモンストレーションは一人用ですが、将来的に大人数で同時に楽しむことも不可能ではないはずです。

このようにゲームエンジンは、もともとメタバースのためにつくられた技術ではありませんが、メタバースにとってますます重要な役割を担うようになっていくことは間違いありません。

メタバースに押し寄せる非ＶＲの大企業

ゲームに関連する企業以外にも、メタバースビジネスへの参入は始まっています。例えば、ナイキ（ＮＩＫＥ）はメタバースに積極的な進出を続けている企業で、次章で取り上げるゲームプラットフォーム「ロブロックス」に、ナイキランド（ＮＩＫＥＬＡＮＤ）というブースを開設しています。ブース内のショールームでは、アバターを操作することで他の

ロブロックス内に開設されたナイキのブース、「ナイキランド」。

プレイヤーと鬼ごっこやドッジボールなどのゲームが楽しめるほか、アバター用のナイキ製品が用意されています。

ナイキは、メタバースやNFT（非代替性トークン、Non-Fungible Token）といった新しいテクノロジーと自社ブランドの距離の近さをアピールすることで、クールで先進的なイメージを広げるべく積極的に活動しているように見えます。

別の例では、2022年6月に、メタがアパレルショップ「メタアバターストア（Meta Avatars Store）」を立ち上げることを発表しました。最初に参入するのは「プラダ」「バレンシアガ」「トムブラウン」という、世界的に知られる3つのファッションブランドです。このショップでは、モトクロスウェアやパーカー、スーツが販売されることが予定されています。ユーザーは購入後、フェイスブック、インスタグラムなどで、自分の似姿であるアバターに着せることができます。いずれVRにも対応し、メタが展開するメタバース「ホライズンワールド」にも着飾った状態で参加できるようになるようです。

後述しますが、ユーザーはメタバース内での自分（アバター）のファッションに関心を持っていることが明らかになってきており、多くのファッションブランドがメタバースへの進出を試し始めています。

これらの事例はごく一部に過ぎません。2022年6月に調査会社ニューズーがメタバースに関連する企業についての調査を発表しました。2021年7月時点で200社のメタバースの関連会社が存在していましたが、1年経った現在では500社以上にまで急増しています。ここには日本の企業は含まれていないようで、あくまで欧米圏で行われた調査であるようですが、日本でも関連企業の数が確実に増加していることを考えると、実際には世界全体で相当な数の企業が参入していることは間違いありません。

その牽引役となっているのが、先に見たようなブランドの主催する仮想ファッションショーでもあります。ファッション業界では、いままで若い世代にアプローチしたくても有効な方法がありませんでした。そこで高級ブランドが、相次いでメタバースで独自のワールドを作成し、デジタル空間で新しいユーザー層に向けたアピールを試みることが一般的になりつつあります。

また、ブロックチェーンによって、あるデジタルデータが持つ、固有の資産性を証明する技術であるNFTを利用してメタバースを構築しようとする動きも活発です。特に、それぞれのメタバースで利用できるアイテムや仮想の土地をNFTとして販売し、収益を得るという動きが大きく広がっています。

ビジネスチャンスはどこにあるか

ここまでメタバースをめぐる、いくつかの企業の動きを見てきました。なぜさまざまな企業がメタバースに集結しているのでしょうか。それは、ザッカーバーグ氏が言うように、「メタバースは、やがて仕事、エンターテインメント、そしてその間にあるすべてのものを包括するようになる」からでしょう。

では、そこにいかなるビジネスチャンスがあるのか。これを考えるうえで、ベンチャーキャピタルであるベンチャーリアリティファンドのティパタット・チェーンナワーシン氏が作成した資料が大変参考になります。まずチェーンナワーシン氏は、デジタルの生活圏を「遊び(Play)」「生活(Live)」「仕事(Work)」に分類しています。

「遊び(Play)」はこれまでビデオゲームやモバイルゲーム、オンラインゲームなどが引

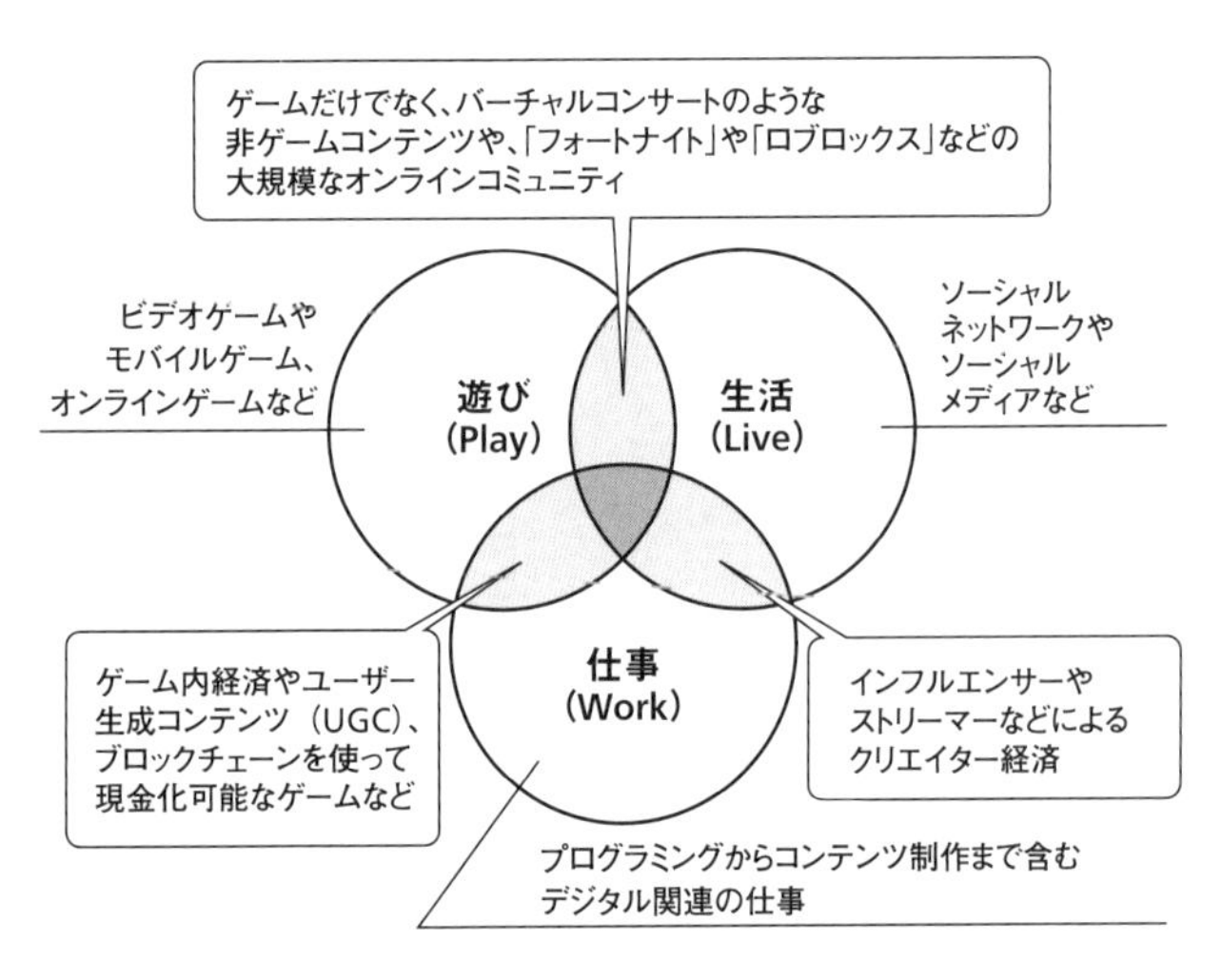

デジタル生活圏を分類し、ビジネス機会ごとに分けた概念図（ティパタット・チェーンナワーシン氏の資料を筆者が日本語訳）

っ張ってきた分野です。ゲームには、パズルゲームのように誰もが簡単に遊べるカジュアルなものから、マニア向けハードコアのシューティングゲーム、さらには一人用プレイから複数人でのマルチプレイに対応した大規模なものまで、さまざまな種類が存在しています。

「生活（Live）」は、これまでSNSや動画サイトなどが担ってきた分野です。メッセージのやり取りなどによる社交や、動画サイトや音楽配信サービスが提供してきた芸術鑑賞、小説やマンガなどの読書といったゲーム以外のインターネット上で行う活動がこれにあたります。Eコマースによるショッピングも含まれます。

「仕事（Work）」は、インターネットの登場によって、さまざまな形でデジタルエコノミーに参加して生計を立てられる環境が整ってきており、プログラミングからコンテンツ制作まで多くの仕事が欠かせなくなっています。また、クラウドサービスの利用や、業務のリモート化も広い意味で含まれるでしょう。チェーンナワーシン氏が指摘している重要な点は、それぞれの分野が重なるところに、新しいビジネスが生まれてきているということです。

例えば、「遊び」と「生活」が重なる分野では、バーチャルコンサート、アバターを利用したファッションショーといったものがすでに展開され始めています。また、「フォートナイト」や「ロブロックス」のような大規模コミュニティでは、ゲーム自体ではなく、ゲームのなかでただ雑談するといった社会的な交流の場を提供することが、重要なサービスの一つになっています。

「生活」と「仕事」が重なる分野では、ユーチューブやインスタグラムなどのプラットフォームを通じて広告収入を得たり、グッズを販売したりするインフルエンサーや、ゲームなどをプレイする動画を配信して広告収入や、ファンからの支援金を得たりするストリーマーと呼ばれる人たちの登場が一般化しています。

「遊び」と「仕事」が重なる分野でも、ユーザーがゲーム内のデジタルグッズを自作し、それを販売して利益を上げるという行為が注目されつつあります。このユーザーがプラットフォームの機能を利用して、独自にコンテンツをつくり出すことを「ユーザー生成コンテンツ(UGC、User Generated Contents)」と呼びますが、その役割の重要性がデジタルエコノミーの拡大によって、改めて注目を集めているわけです。

また、ビットコインに使われているブロックチェーン技術と、ゲームとを組み合わせる形で登場した「稼ぐために遊ぶ(Play-to-Earn)」という考え方や仕組みもデジタルエコノミーの成長を加速させるものと見られています。

チェーンナワーシン氏は、これらデジタル生活圏の「遊び」「生活」「仕事」の機能を実現しているプラットフォームをメタバースだと捉えているのです。

メタバースの発展を見極める

いまメタバースをめぐる覇権戦争が起きているのは、インターネットのサービスを「ただ利用する」という従来の行動が、インターネットのサービス上で「生活をする」という形にシフトしようとしていることが大きな要因です。

ＩＴ環境は、10～20年ごとに登場する新技術によって、度々大きな変化を迎えます。その際、適応に失敗すれば大企業であっても没落する一方で、零細企業がチャンスをつかんで巨大企業へと成長していく、ということも起こりえます。そのため各社は新技術に敏感に反応し、自社の戦略へと取り込もうとしているのです。はたしてメタバースがそのような大転換を引き起こすことができるかは、まだわかりません。ただし、近年登場したさまざまな技術のなかで、その有力な候補となっていることは確かです。

先ほどのチェーンナワーシン氏は、メタバースが今後成長していくうえで、3つの環境が整う必要性にも言及しています。それは「持続的な仮想世界」「機能する経済」「相互運用性(インターオペラビリティ)」です。

「持続的な仮想世界」とは、メタバースがサービスとして持続できるようなコンピューティング環境が必要であるという意味です。あるサービスが特定の期間だけ利用できるというのでは不完全で、そのサービスを利用するユーザーが、いつでも、いつまでもサービスの利用を継続することができなければなりません。そして「仮想」であるということは、3Dグラフィックスでつくられている世界という意味でもあります。そのためには、その世界をまさに現実に存在するように感じられるようにつくる「ゲームエンジン」が欠かせません。また、デジタル上の分身であるアバターを魅力的なものとして実現させる機能や、それらのアバターを使って大勢のプレイヤーがリアルタイムでコミュニケーションをとれるシステムが必要です。見落とされがちですが、さらにそれらのユーザー活動のデータ処理をバックエンドで支えるクラウドコンピューティングと、十分なデータストレージも必要になります。

次の「機能する経済」とは、メタバースが独自の経済圏として自律的に機能するための仕組みのことを指しています。アバター用のファッションのようなデジタルグッズを作成・販売する仕組みを持っているかどうかなど、ユーザーが独自のコンテンツを自作できるＵＧＣが、適切に作動していることがポイントとなります。そして、それらを取引する際に必要となる仮想通貨や、仮想通貨を現実世界の通貨と交換するための決済システムも同時に必要になります。メタバースとブロックチェーン技術が相性がいいと考えられているのは、有力な決済手段になりうるとみなされているからです。

３つ目の「相互運用性（インターオペラビリティ）」は、メタバースの重要な要素として位置づけられながら、最も乗り越えるのが難しく、今後も大きな争点になると考えられるポイントです。メタバースは、それが一社単独のサービスとしてではなく、さまざまな企業が提供するサービスをストレスなく行き来できるようになってこそ、真価を発揮すると考えられています。例えば、あるサービスで利用しているのと同じアバターを使って別のサービスを利用することができる、というイメージです。ただし、そこで課題となるのが、それぞれのサービスは独自に開発していることが多いため、フォーマットデータの違いをどうやって統合するのかという点です。

それを実現するためには、「所有権の分散化（Decentralized）」が必要になります。メタバースの少し前から話題となっているNFTの技術は、単純にまとめるならば、特定のユーザーがあるデータを所有しているというデジタル証明書の役割を果たします。したがって、この技術を活用すれば、サービス間のデジタルデータの移行が容易になるのではないかと言われています。

しかし、そもそもサービス間で共通の「ファイル・フォーマット規格」がつくれなければ、データが移行できても意味がありません。アバター一つ取ってみても、それぞれの企業が勝手にフォーマットをつくっているというのが実情です。また、サービス間の自由な行き来によって生じる問題や不具合に対して誰が責任を取るのか、ビジネスモデル上の整合性は取れるのか、という点も現時点ではあまりはっきりとした答えが出ていません。そのため期待はされているものの、相互運用性については当面限られた範囲でしか実現しそうにないというのが実情です。

ベンチャーキャピタリストだけあって、チェーンナワーシン氏の指摘は、今後メタバースがビジネスの場として大きく発展していくかを見極めるうえで、大きなヒントを私たちに与えてくれます。

第2章 先駆者としてのゲーム企業

——エピックゲームズ、ロブロックス

「メタバースで暮らす」という理念

メタバースという言葉は、1992年に作家ニール・スティーヴンスンが書いたSF小説『スノウ・クラッシュ』が初出とされています。科学の進歩によって発達したコンピュータと人間との関係性がテーマとなることが多い、1980年代に流行したサイバーパンクと呼ばれる分野の小説です。この小説では、人間は現実世界に生きるだけでなく、自分の代わりとなる化身(アバター)を使って、コンピュータネットワーク上につくられた仮想空間「メタバース」でも暮らす「二重生活」を送っています。

この小説が登場した1990年代はインターネットの普及が本格化する前でした。また当時はパソコンの性能も低かったため、パソコン通信と呼ばれるコミュニケーション手段によるテキストでのやり取りが中心でした。そのため、小説に描かれた未来のコンピュータやテクノロジーの姿は、多くの人の想像力を強く揺さぶるものだったのではないかと思います。

やがてその想像力は、何千ものプレイヤーが同時にゲーム世界のなかで遊ぶスタイルのゲーム、大規模オンラインゲームという形で結実します。世界最初の大規模多人数参加型オンラインロールプレイングゲーム(MMORPG)「ウルティマオンライン」が登場したのは1997年でしたが、以降もこのタイプのゲームはゲームユーザーの間で少しずつ広がっていきました。

その傾向は2000年代に入り、インターネットが普及し、リアルタイムで3DCGを描画できる専用パソコンが安価になったことで顕著になります。特に、パソコンや家庭用ゲーム機向けの「ワールド・オブ・ウォークラフト」（2004年）、「ファイナルファンタジーXI」（2002年）、「リネージュII」（2004年）といった大ヒットゲームの登場によって、インターネット上の別世界を仲間と一緒に冒険するという遊びは、マニア向けの特別なものではなくなっていきました。

ちょうどその頃、SF小説『スノウ・クラッシュ』のメタバースに直接的に影響を受けた革新的なサービスが登場します。それが2003年に始まった、米リンデンラボの「セカンドライフ」です。セカンドライフが従来のゲームと決定的に違っていたのは、「目的がない」という点です。つまり、ただのゲームというより、コミュニティプラットフォームのようなサービスでした。当時は音声チャットの技術が現在のように確立されていなかったため、テキストチャットによるやり取りが中心でしたが、何十人もの人が世界中から仮想世界に集まり、3Dのアバターを通して他のユーザーとコミュニケーションするという体験自体はとても新鮮だったのです。

セカンドライフは何が画期的だったのか

セカンドライフは、ＵＧＣをサービスの中心に据えていた点にも特徴がありました。ユーザーはサービス内の開発ツールを利用して、独自のコンテンツを作成することができました。アバターを作成したり、その髪型や化粧や服、さらにはサービス内に登場する建物などの３Ｄオブジェクトさえも作成したりできました。

もう一つユニークだったのは、サービス内に流通する仮想通貨を利用して、ユーザーがつくったコンテンツを他のユーザーと取引する機能が備わっていたことです。セカンドライフには「リンデンドル」と呼ばれる仮想通貨が存在しており、リンデンドルは現実のドルで購入することができました。そしてサービス内で誰かから何かを購入したいと思えば、このリンデンドルで支払いを行うのです。さらに画期的だったのが、リンデンドルを換金して、現実のドルを手に入れることができた点です。つまり、サービス内での販売活動を通じて、現金を稼ぐこともできたのです。そのため、さまざまなビジネスがセカンドライフ上で展開されるようになり、サービス自体も盛り上がっていきました。

リンデンドルの獲得手段として、最も一般的だったのが、アバターやアバター向けのファッションのコマースでした。ユーザーは自分の分身であるアバターを通してセカンドライフをプレイするため、アバターのカスタマイズには大きな需要がありました。そのため、

セカンドライフでリンデンドルを使ってショッピングする方法を紹介しているチュートリアル動画。

あちこちの「土地」に仮想のショッピングモールがつくられ、工夫が凝らされた独自ブランドのアバター向けファッションが販売されるようになりました。このような仕組みによって、人気が出た商品をつくったユーザーは、実際に現金に換金可能なリンデンドルを得ることができました。

いま「土地」という言葉がでましたが、そもそもセカンドライフは広大な仮想の土地で構成されており、ユーザーはその土地を使って独自のビジネスを展開できるようになっていました。まず独自のビジネスを始めたいユーザーは、規定の面積に応じた月額費用（ドル払い）を払って土地を借ります。すると土地を借りたユーザーには、自分が望むように3Dオブジェクトを配置して建物を建てたり、専用の簡易プログラムツールを使うことでプログラムを組んで簡易的なゲームを作成したり、コマースを実施したりという、カスタマイズの権利が与えられます。

こうしてユーザーによって開発された土地では、いくつものアイデアが実現されました。先ほど述べたショッピングモールはもちろん、現実世界の有名建築を模倣した観光スペースや、多くのユーザーが集まれるダンスホールなどが代表的です。家具や観葉植物などを他のユーザーから購入して、仮想世界におけるプライベートスペースをつくり込むユーザーもたくさんいました。そこにオンライン上で知り合った友人を招き、チャットを楽しむのです。２００８年の登録ユーザーの男女比は６対４でしたが、コミュニティ内での恋愛も活発に行われるようになり、セカンドライフでの生活を通じてバーチャルな結婚をするケースも多く見られました。

経済活動ができる仮想空間の実現

人気がピークを迎えた２００７年頃には、セカンドライフはインターネット上の新しい「体験型宣伝媒体」として注目されるようになっていました。当時、北米の日産自動車が「Nissan Island」という土地に展開した「クルマの自動販売機」は大きな話題を呼びました。人の丈（たけ）を大きく超える巨大な自動販売機が配置されており、そのボタンを押すと新型車が登場して、バーチャル試乗体験ができる、というものです。この広告手法は、新型車の認知を獲得するために効果的と当時はみなされていました。

そのため多くの企業が追随し、ブームのピーク時には、日産以外にもさまざまな日本企業が出展しています。ユニークなものとしては、「バーチャル東京」という土地で、東京放送（ＴＢＳ）が中継する「世界陸上」をテーマに「仮想の陸上競技大会」が開催されたことがあります。１００メートル走、砲丸投げ、マラソンなどのミニゲームをアバターで楽しむことができるという内容でした。

企業だけではありません。スウェーデンやモルディブといった一部の国がセカンドライフ上に大使館を開設するなど、現実世界に存在するものがセカンドライフに出展するだけで話題になるという現象が起こりました。こうしたことが可能だったのは、セカンドライフがただのゲームではなくコミュニケーションプラットフォームであったこと、また誰でも自由にサービスをカスタマイズできることが大きかったと考えられます。

リンデンラボの創業者フィリップ・ローズデール氏は、２０１０年のラジオのインタビューに「この本（『スノウ・クラッシュ』）に書いてあることをそのまま実現できない理由は、じつは本当にないのです」と述べており、ピーク時には１日１００万人ものユーザーがアクセスしていると明らかにしていました。サービス開始から10周年の２０１３年にリンデンラボが発表したデータによると、新規参加者は月40万人に達し、すでに3600万人分ものアカウントがつくられていること、サンフランシスコ市14個分に相当する土地、32億ドルに相当する210万種ものバーチャルグッズの取引が行われていることがアピールされています。

まだ一般的なVRデバイスは登場していないので、あくまでもモニター越しの体験ではありましたが、本格的な経済活動を行うことができる仮想空間が実現したのです。サービスの機能や、そこでできることなどを比較すると、セカンドライフには現在のロブロックスなどのメタバースサービスの原型を見ることができます。ただし、セカンドライフをメタバースの文脈で語るうえで見逃してはいけないのは、コミュニティが大きくなることによって、同時にさまざまな課題を抱えていたことです。

どのようなコミュニティであれ、多くの人が集まり、そこに現実の経済が絡むと問題が起こり始めます。チャットを楽しむことを最大の目的とするユーザーがほとんどではありましたが、一方でお金儲けを最大の目的とする人たちも現れるようになり、彼らによるトラブルが目立つようになりました。代表的な問題は、販売されているデータに有名ゲームやアニメのキャラクターなどの第三者の著作権を侵害していると思われるものが多数登場したことです。アニメのキャラクター画像をアバターとして販売したり、他の家庭用ゲームから3Dデータを抽出して、セカンドライフで扱えるよう加工して販売したりすることが頻繁に行われました。

セカンドライフ側は、ユーザーからの通報を受けて、それらのデータを購入者の持っているデータも含めて削除するという対応を取りましたが、実際にコントロールできたのはごく一部だけだったようです。また、システムの脆弱性を利用してセカンドライフで販売されているデータ自体を盗み取り、勝手にオリジナルアイテムとして再販売する行為も横行しました。こうした行為はセカンドライフのシステム設計上の変更が難しい部分に起因する問題でもあったため、その多くは解決されることなく、放置されたままです。

さらに大きな問題になったのが、リンデンドルを使ってギャンブルができる土地の登場でした。カードゲーム、ポーカー、ルーレット、スロットマシンなどの装置が用意され、リンデンドルを賭けて遊ぶことができたのです。リンデンドルはドルに換金できたため、オンラインギャンブルを禁じる法律に抵触する恐れがありました。実際、リンデンラボは2007年にギャンブルの全面禁止を発表します。米FBIがセカンドライフ内のギャンブル行為が違法かどうかを調査中と明らかにしたことを受けての突然の方針決定であり、これによってギャンブルを展開していた土地はすべて閉鎖に追い込まれました。

この事件は、仮想空間であれ、現実世界の法律に拘束されているという事実を突きつける出来事でした。より正確には、リンデンラボという企業が存在するアメリカの法律の制約を、セカンドライフもまた直接的に受けることになる、ということがこの件によって明らかになったのです。インターネットのサービスを提供している企業が、本社機能のある国の法律的な制限を受けやすい傾向は、その後のWeb2.0のプラットフォームや、現在のメタバースでも続いています。仮想空間には国境がない、ということが理想論のように語られることがありますが、はたして本当に国家の制限から離れてサービスを展開できるのか、という点はシビアに見極める必要があるでしょう。

セカンドライフが示したメタバースの課題

先ほど、リンデンドルとドルとの換金性によってビジネスが可能になることがセカンドライフの画期性の一つだったと述べましたが、時の経過とともに詐欺まがいの実態も明らかになっていきました。セカンドライフで最も利益を上げたユーザーたちは、ゲームのブームが起きる前に多くの土地を買い占め、その土地を転売したり又貸ししたりした一部のユーザーだと言われています。

セカンドライフの初期には、サーバの容量などの問題から、ユーザーに供給できる土地には限界がありました。そうすると新規参入するユーザーとの需給ギャップによって価格にプレミアム性が生じるため、既存のユーザーは土地の転売や又貸しで容易に利益を出せるという状況にあったのです。ピーク時には550もの土地を所有していたというハンドル名アンシェ・チャン氏は、2006年末には転売によって100万ドル以上を売り上げたと言われます。

しかし、セカンドライフのサーバシステムの見直しによって土地の供給量が増加したことや、ブームが一過性に終わったこともあり、土地の価格は急落。やがて、チャン氏のような土地の転売目的だった人たちは去っていきました。また、リンデンドルからドルへの換金時の交換レートが換金する金額が大きくなればなるほど上昇し、ユーザーに不利になるような仕組みになっていたことも明らかになり、ビジネスプラットフォームとしての公平性に疑問が持たれるようになりました。

その結果、セカンドライフは一時は多くの人や企業ブースで賑(にぎ)わいながらも、2010年代になる頃には、その大半が退会・撤退しています。現在でもセカンドライフは約60万人の月間アクティブユーザー数を抱えており、ニッチではありながらも、高年齢層に支持されるコミュニティとして継続しています。サービス自体は収益を上げているようですが、かつての勢いはなくなっているのが実情です。

だとしたら、なぜ本書で再びセカンドライフを取り上げたのでしょうか。それは繰り返しになりますが、セカンドライフがメタバースの源流であるだけでなく、今後のメタバースプラットフォームで想定しうるさまざまな問題を先駆的に経験しているためです。

最大の問題は、リンデンドルに見られる換金可能性の部分でしょう。ゲーム内の仮想通貨を実際の現金と交換する行為は「ＲＭＴ（リアルマネートレード）」と呼ばれ、人気ＭＭＯＲＰＧなどのゲームで行われています。そこには交換を専門とする仲介業者の存在があります。しかし、彼らはゲーム会社にとっては迷惑な存在でした。ゲームではユーザーがどのようなペースで成長していくかを細かく予測したうえでバランス調整が行われます。ところがＲＭＴが広がってしまうと、ユーザーの動きが変化するため、ゲーム会社が設計していたゲームのバランスが容易に崩壊する事態が生じかねません。

さらに大きな問題は、ゲームという特定の行動に対してランダムな結果で、ゲーム内通貨やアイテムを獲得でき、それを換金できるという環境ができてしまうと、賭博行為とみなすことが可能で、各国のギャンブル法に抵触する可能性があります。先述の、ダンジョンを進む最中に、モンスターを倒したり、宝箱を開いたりすることで、ランダムに獲得できるゲーム内通貨やアイテムといった一般的なＲＰＧでは必ず登場する仕組みが挙げられます。そこに換金性が組み合わさった途端に、それはギャンブル行為とみなされる可能性があるのです。

そのため、多くのオンラインゲーム会社は、ＲＭＴ行為を全面的に禁止し、ゲーム内通貨やアイテムと現実の通貨との間に換金可能性を持たせないよう細心の注意を払ってきました。ユーザーがＲＭＴ行為に加担していないかをチェックする仕組みを構築し、禁止行為を行っているユーザーのアカウントを強制的に利用不可にするといったことが行われました。利用規約の面でも、アバター、アイテム、ゲーム内通貨はユーザーが「所有している」のではなく、すべてゲーム会社が「使用権を貸し出している」という解釈へと切り替えていきました。ユーザーはプレイしていたゲームを解約すると、ゲーム内に所有していたアバター、アイテム、ゲーム内通貨といったものを失ってしまうことになります。しかし、多くのユーザーは、ＲＭＴによる弊害を知っていたため、禁止や防止のための施策を支持したのです。

こうした経緯があるため、セカンドライフのように仮想通貨と現実の通貨との換金可能性を前面に押し出したゲームやサービスは、その後、登場することはありませんでした。やがてコミュニケーションプラットフォームの主流は、２００７年にiPhoneが登場してスマートフォンの時代になるとフェイスブックやツイッター、インスタグラムに代表される２Ｄ主体のＳＮＳにとって代わられ、セカンドライフの存在は忘れ去られていきます。

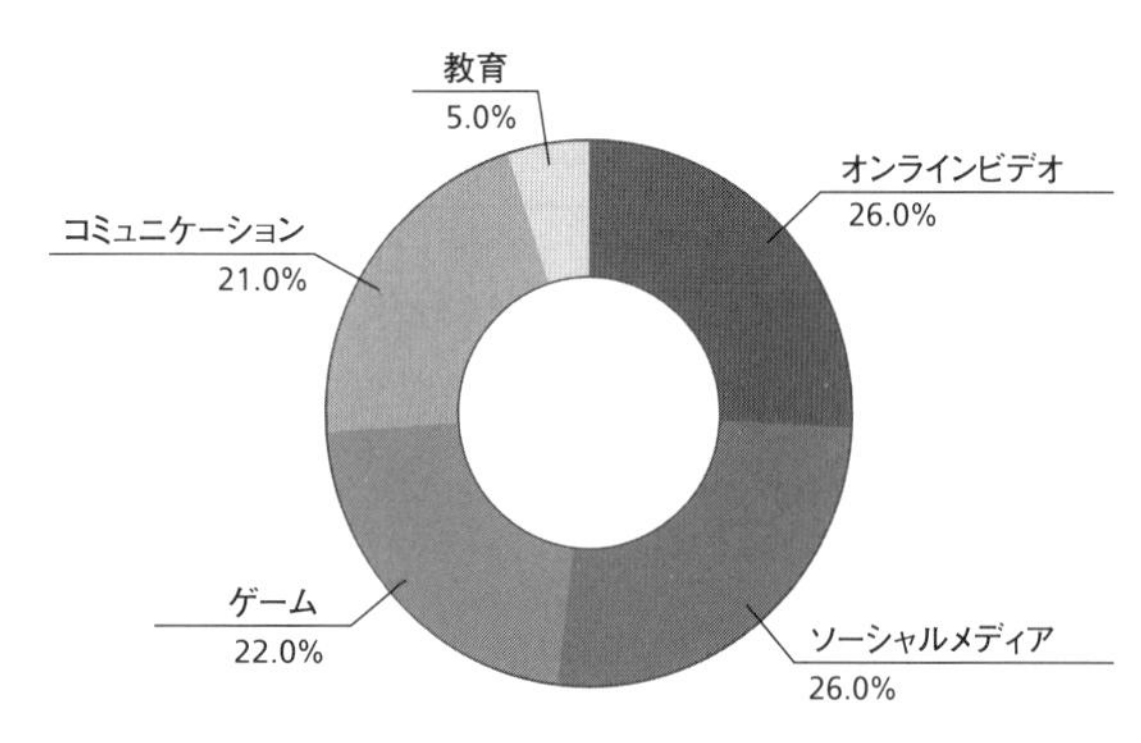

次世代ユーザーが時間を費やしているアプリのカテゴリー
(Goldman Sachs Research, Framing the Future of Web 3.0 : Metaverse Edition, P.12を元に作成)

ゲームの世界がコミュニケーションの場に

しかし、セカンドライフブームから10年あまりが経過した現在、コンピュータ技術の発展や低価格化、ネットワークの高速化などが進んだことで、再び大きな地殻変動が起こっています。

米金融会社ゴールドマン・サックスが、アメリカ、イギリス、スペインの次世代のユーザー(ここでは複数台のモバイル端末やパソコンを使いこなすインターネットユーザーを指す)を対象に、デジタルに対してどのように時間を費やしているかを調査した結果を2021年に発表しました。この調査によると、ユーチューブなどのオンラインビデオ(26%)や、SNSなどのソーシャルメディア(26%)に続いて、ゲーム(22%)が上位に挙げられていま

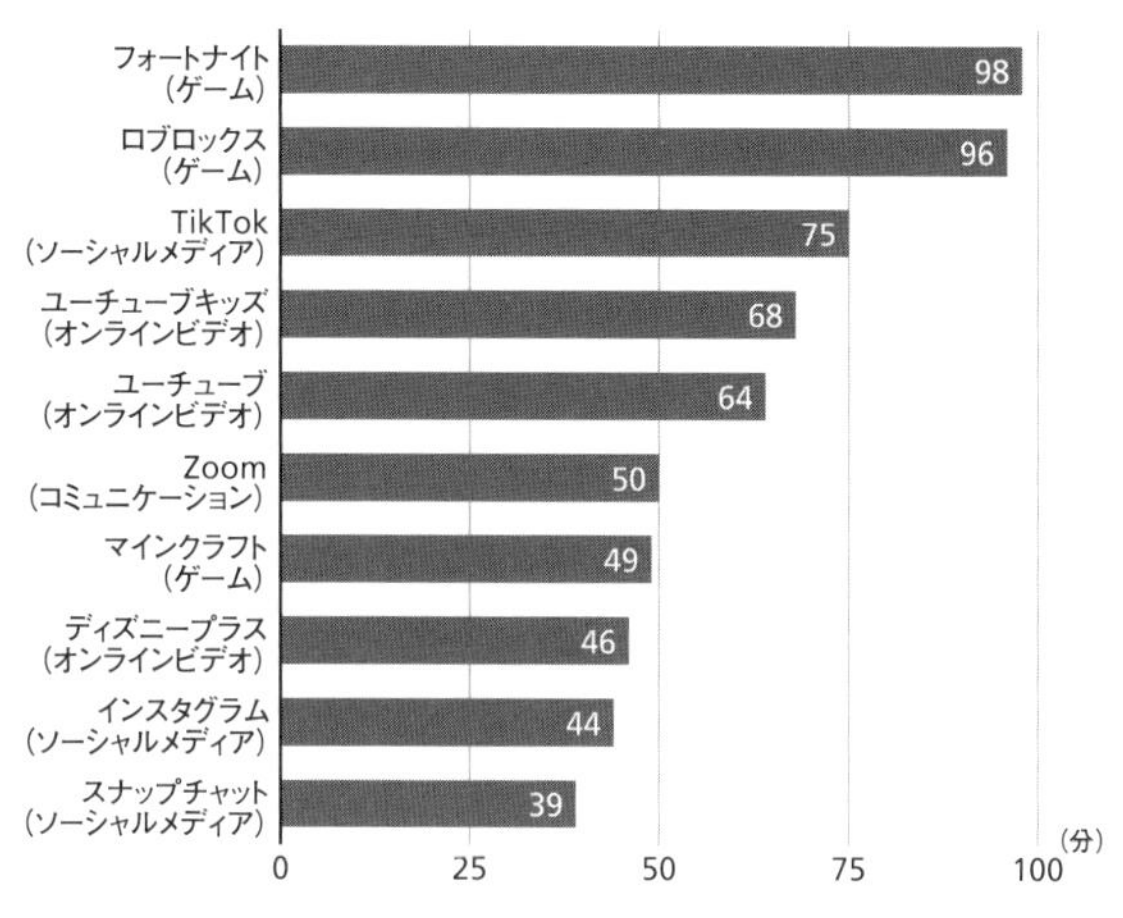

次世代ユーザーが各アプリに接触している時間
（Goldman Sachs Research, Framing the Future of Web 3.0 : Metaverse Edition, P.12を元に作成）

す。

注目すべきは、何のアプリに1日のうち、どれほどの時間を使っているかという項目で、トップは「フォートナイト」の98分、2位は「ロブロックス」の96分と、この二つが他のアプリを大きく引き離しています。その理由は、これらのアプリがゲームアプリであるとともに、コミュニケーションプラットフォームとして若い世代を中心に利用されているからです。多数の人間が参加可能なゲームの世界を、コミュニケーションの場として利用する価値観が生まれつつあるということです。

「フォートナイト」は、エピックゲ

フォートナイトの公式トレイラー。

ームズが開発・運営する三人称視点のシューティングゲームです。２０１７年に発売された当時のフォートナイトは、５年以上の歳月をかけて開発されたにもかかわらず、失敗作でもありました。夜になるとゾンビがプレイヤーたちのいる拠点を攻めてくるため、４人のプレイヤーが協力して昼にバリケードを築き、防衛体制をつくるというゲームでしたが、その作業の地味さも相まって、販売本数は１００万本を超えたものの、かかった費用を考えると回収はできなかったようです。

ところが生き残りをかけて、当時人気が出ていたサバイバルゲームを模したゲームモード「バトルロイヤル」を半年あまりで開発。「基本プレイ無料モデル」で展開したことで人気に火がつきます。このモードは、広大な島を舞台に１００人のプレイヤーが同時接続し、島内を探索しながら、武器やアイテムを獲得して最後の一人になるまで他のプレイヤーを倒していくという仕組みです。なかなか最後まで生き残ることは難しいですが、1プレイは15～30分程度なので負けるとついついもう一度遊びたくなる「中毒性」があります。いまではフォートナイトと言えば、この「バトルロイヤル」モードのことを指すと考えて差し支えありません。

基本プレイが無料だったことに加えて、パソコンだけでなく、各種の家庭用ゲーム機やスマートフォンにも対応したことで、10代のゲームユーザーを中心に、全世界で爆発的なヒットとなりました。また、シューティングゲームであるにもかかわらず、表現や色合いがポップで、動きがコミカルかつ残虐性がほとんど感じられなかったことも、年齢層が低いユーザーが安心して遊べた理由であったと言われています。

「ゲームのサービス化」を体現するフォートナイト

フォートナイトを理解するうえで鍵になるのは、2008年頃から言われるようになった「ゲームのサービス化（Games as a Service）」という概念です。初期のMMORPGである「ファイナルファンタジーXI」や「ワールド・オブ・ウォークラフト」は「月額課金モデル」によって大きく成功しましたが、こうしたMMORPGの特徴は「終わりがない」という点にあります。そこでは新しいシナリオやアイテムが継続的に追加されていき、ユーザーはいつまでもその世界を楽しむことができるようになります。その結果、かつては「作品」として完結していたゲームを、持続的な「サービス」として提供するというビジネスモデルが登場することになったのです。

その後、スマートフォンによってゲーム市場が拡大すると、「月額課金モデル」ではなく、「アイテム課金モデル」が主流となっていきます。基本プレイは無料で楽しめるものの、ゲームを有利に進めるためのアイテムを獲得するには課金が必要になるというモデルです。この「アイテム課金モデル」によって、ゲームがサービスであるという考え方は、さらに一般化するようになりました。

莫大な開発費がかかるゲームを無料でサービス展開することで、はたして採算が合うのかという課題がありましたが、実際に無料展開されたゲームが多くのユーザーを引き付け人気ゲームとなる現象が起こるようになりました。一般的にアイテム課金モデルで、課金するユーザーの割合は5～10％と言われていますが、無料であることで多くのユーザーをひきつけることができ、結果的に大きな収益につながるゲームがいくつも登場するようになったのです。

そして、フォートナイトは、基本プレイ無料で大きく成功したことで、サービス化したゲームの代表格として、２０１８年には同時アクセス者数が８３０万人を記録しました。

さらに、「ゲームのサービス化」の象徴とも言えるイベントが実施されました。2019年に人気DJのマシュメロがゲーム内でライブコンサートを開くというコラボレーションが行われたのです。ゲームのなかから全世界に向けてコンサートをするというのは前代未聞であり、社会的にも大きな話題となりました。この成功を受けて、さまざまなアーティストによるフォートナイト内でのライブが継続的に行われるようになりました。人気はさらに広がり、2020年には1230万人もの同時アクセス者数を記録。現在、世界で最も遊ばれているゲームの一つとなっています。

では、フォートナイトは何を収益源としているのでしょうか。じつは、フォートナイトの売上の中心となっているのは、ユーザーの分身であるアバターを着飾るためのアイテムです。フォートナイトは、ゲームを有利に進めるためのアイテムはあえて販売しないという方針を貫いており、基本のアバターでも問題なくプレイすることができます。その代わり、多くのユーザーは自らを着飾るためにバトルパスや、特殊なアバター（フォートナイト内ではスキン・コスチュームと呼ばれます）を購入します。

バトルパスというのは、月10ドルを支払うと毎日のようにさまざまなアバターやそれを着飾るアイテムなどを得ることができる月額課金の仕組みです。また特殊アバターとしては、スパイダーマンやバットマン、スター・ウォーズのダース・ベイダーといった有名キャラクターのアバターが期間限定で販売されたりします。これが莫大な利益を生み出すことになり、フォートナイトは2019年には37億ドルもの売上を出したと推計されています。

2021年4月には、エピックゲームズは10億ドルの資金調達を実施し、企業評価額は287億ドルにまで膨れ上がりました。そして豊富な資金を元手に企業の買収を行うなど、積極的にメタバース戦略を推し進めるようになるのです。

エピックゲームズの二つの戦略

フォートナイトの成功は、アバターの重要性を改めて印象付けるものでした。フォートナイトに長時間滞在しているユーザーは、単にゲームをプレイしているだけではありません。ゲームをしながらボイスチャットで友達とおしゃべりをしたり、ゲームをきっかけに自分が興味のあるオンラインコミュニティに参加したり、思い思いの楽しみ方をしています。プレイの様子を「ツイッチ（Twitch）」などのゲームストリーミング用動画サイトで中継することが人気で、現在、ツイッチでは常時数万人の人たちがフォートナイトのプレイ放送を視聴しています。

フォートナイトでは、そうした楽しみ方をさらに推し進めるために、2018年にUG

C機能の「クリエイティブモード」を追加しました。このモードでは、ユーザーはゲーム内ツールを利用して、「島」と呼ばれる空間を自由に構築することができます。具体的には、ユーザーはゲームに登場するオブジェクトを使って「島」をデコレーションしたり、プログラム言語を使うことなく、簡易的な仕組みで独自のゲームを導入したり、自由にカスタマイズできるのです。こうしてユーザーがつくった「島」には固有のコードが振られており、番号がわかれば、簡単にアバターを特定の「島」へと送り込むことが可能です。

ロンドンのタワーブリッジを再現するような景観の美しい「島」、決められたルートをミスしないようにクリアするアスレチックがあったり、カーレース専門のコースが用意されていたり、ホラーゲームのように人を驚かせることを目的としたりしている、エンタメ感たっぷりの「島」、ほかにも使える武器が限定された対戦モードが楽しめる「島」など、すでに多種多様な「島」がつくられていて、ユーザーの創意工夫を垣間見ることができます。

クリエイティブモードは、さまざまな機能を搭載したバーチャルなレゴブロックで遊んでいるようなもので、これにハマった人は長時間プレイをする傾向があると言われています。そのため、エピックゲームズはこのモードを、フォートナイトをさらに長時間遊びたくなるための中核コンテンツとして位置づけ、機能の追加を続けています。

現時点ではフォートナイトのデータは完全にプラットフォーム内に閉じ込められており、自分が所有しているアバターであっても、他のユーザーに譲渡したりすることはできません。また、アバターなどのデータそのものを外部の3Dデータを使って自由に改変したりすることはできません。その意味では、他のプラットフォームとの相互運用性は考慮されていない閉じたプラットフォームになっています。

「島」をつくれるクリエイティブモードでも、外部で作成した3Dデータを読み込んだりすることはできません。ただし、将来的には最新のゲームエンジン「アンリアルエンジン5」を使うことで、外部で作成した3Dデータを「島」に組み入れたり、既存データをカスタマイズしたりできるようになる予定です。

エピックゲームズは、フォートナイトにおいてバトルロイヤルを中心としたゲームの魅力でユーザーを引き付け、クリエイティブモードを通じてコミュニティ化することによってメタバースを拡張するという戦略を取っています。そして、その一方で誰もが利用できるゲームエンジン「アンリアルエンジン5」の開発強化をさらに推し進めています。

さらに2022年4月、エピックゲームズはソニーグループとレゴを運営する投資会社キルビから20億ドルの投資を受けることを発表しました。投資後の企業評価額は315億ドルに達します。エピックゲームズ創業者兼CEOのティム・スウィーニー氏は、「この投資はメタバースを構築して空間をつくり出す私たちの活動を加速化させることになるでしょう」とプレスリリースのなかで述べています。

若年層から爆発的な支持を受けるロブロックス

フォートナイトと同じくゲームから発展したメタバースのサービスとしては、「ロブロックス」を挙げることができます。ロブロックスは、ユーザーが自由に3Dゲームを開発・公開することができる、UGC主体のゲームプラットフォームです。公開されているゲームは、基本的には無料で、しかも複数人でも楽しめるため、小学生から爆発的な支持を得て急激に広がりました。アメリカでは16歳未満の子どもの約半数が一度は遊んだことがあると言われるほど若年層に人気のサービスです。ゲーム版の「ユーチューブ」とも言われます。

ゲームの種類は膨大で、アドベンチャーゲーム、ペット育成ゲーム、スポーツゲーム、レースゲームなど、じつに多様なものが存在します。集まったユーザーにお題が出て、それを制限時間内に実施するパーティーゲームのようなものもあり、アイデアを使った変わり種ゲームにも事欠きません。教育目的にも利用されており、決められた時間だけ開放されている学校のようなエリアもつくられています。

ロブロックスがユニークなのは、有料のゲーム内通貨を使ってＵＧＣの開発者が収益を得られる仕組みを持っていることです。アバターの服などのアイテムを販売したり、月額支払で特典を提供したりすることで、売上の一部がそのＵＧＣの開発者に還元されます。開発・運営元のロブロックスは「メタバースの推進」をビジョンとして掲げている企業です。ロブロックスは２０２１年3月にニューヨーク証券取引所へと上場し、大きな成功を収めましたが、このことがメタバースという言葉が注目される一因となったのは間違いありません。上場直後の時価総額は３８２億ドル。ゲーム最大手の米エレクトロニック・アーツを超える、とてつもなく高い評価額です。

２００４年設立のロブロックスは、そもそも教育用のツールから開発が始まっています。自分たちでコンテンツをつくるのではなく、ユーザーが使いやすいさまざまなツールを用意しておき、それらで簡単に実験が行える環境を構築するというのが、当初からの目的だったのです。とりわけ「物理エンジン」と呼ばれるシステムによって、リアルタイム３Ｄの世界でブロックを組むように自由に物理実験を行うことができる環境づくりが目指されていました。

ロブロックスは、最初が教育目的であったことから、ノートパソコンなどでも動作できるようにシステムが非常に軽くつくられています。映像表現としては、本格的なゲームなどに比べるとかなり劣ってはいますが、3Dが手軽に扱える環境としては抜群の簡単さです。何よりも優れていたのが、開発ツールは基本無料で提供されているにもかかわらず、すべてを自社のクラウドサーバ内で処理しているために、何かをつくりたいと考えたユーザーがシステム上の複雑な設定を一から自分でする必要がない点でしょう。例えば、ユーザーは作成途中のデータの保存状態を気にする必要がありません。

また、あらかじめ用意された3Dデータを使うこともできますし、制限はありますが外部からのデータを読み込むことも可能です。「Lua」というスクリプト言語にも対応しており、それらを組み込むことで本格的なゲームを開発することもできます。さらに最大の特徴が、最大200人のマルチプレイ環境に対応している点です。

こうした手軽さや柔軟さが、小学生や10代の子どもたち、開発者を引き付けています。その後、ロブロックスはパソコン以外にスマートフォンやタブレットにも対応したことで人気に拍車がかかり、現在では数百万タイトルものゲームが作成されるまでになっています。新型コロナウイルスの感染拡大もユーザー数の増加に大きく影響したと言われており、学校に通えなくなった子どもたちの友達との遊び場として利用されました。その結果、2019年1～3月に1500万人だった1日あたりの利用者数は、2021年1～3月には4000万人近くにまで急増しています。

なぜ優れたコンテンツが次々に生まれるのか

ロブロックスは、自社ではコンテンツの開発をほとんど行っていません。ツール・環境を使いやすくすることに集中しています。そして、アプリの動作を軽くするために、プレイヤーのアバターは四角形を基本とした簡素なおもちゃのようなデザインにあえてしています。ただし、このアバターはやはり着飾ることができるようになっており、顔、髪型、服装、アクセサリ、ダンスモーションといった、ユーザーが作成した多数のデータが公開されています。

映像は、先ほど述べたように家庭用ゲーム機などと比べると、明らかに見劣りします。ですが、ゲーム開発を手軽に行うための機能が揃っていることから、10代の子どもたちでも使いこなすことが可能です。もっとも、開発を行っている人たちの中心は大学生前後と考えられており、しっかりとしたゲームを開発するためにチームを組んでいるケースもあります。そこから、最終的にはスタートアップのベンチャー企業として羽ばたいていく人たちも出てきています。

例えば、ユーザーのお気に入り数が500万を超えている「ファントムフォース(Phantom Forces)」は、常時1万人近い人たちが遊んでおり、一般的な市販ゲームに負けないほどのクオリティです。一人称視点のシューティングゲームで、二つのチームに分か

ロブロックスのエリアの一例。多数のゲームが登録されている。

れて銃で競い合うというよくあるタイプのゲームですが、テンポが非常に速く、サクサク楽しめることから人気を得ています。開発を行っている会社は、2014年に2人でスタートし、いまでは20人近いメンバーを抱えるまでに成長しています。

また卵を孵化させ、生まれた動物の世話をするペット育成ゲーム「アダプトミー！(Adopt Me!)」は女性から高い人気を集めているコンテンツです。ロブロックスのエリア内に、自分の家を持ち、そこに家具を配したりして、ペットとともに過ごすだけのゲームですが、同時アクセスユーザー数は最大で192万人を記録、月間アクセスユーザー数は6400万人というビッグコンテンツになっています。この開発元は、現在ではアップリフトゲームズというベンチャー企業として運営されています。

ロブロックスで優れたコンテンツが次々に登場する理由としては、先ほども触れたようにコンテンツの収益化ができるという点が挙げられるでしょう。収益は、ゲーム内通貨「ロバックス(Robux)」を獲得して、それを現金化することで得られます。一例としては、ゲームクリエイターがアバター向けのアイテムを作成・販売することでロバックスを得ることができます。また、多くのゲームが月額課金制をとっています。ゲームが定める月額費用をロバックスで支払うと、そこからゲームクリエイターに収入が支払われる仕組みです。大半がこの二つの方法を使って収益を獲得しています。

また、ユーザーはプレミアム会員となると、毎月一定額のロバックスを得られるといった特典を受けられます。そのロバックスを使ってユーザーが、どこかのエリアで買い物をすることで、開発者の収入につながるという仕組みです。それぞれのエリアの開発者も、独自のアイテムをロバックスで販売したり、さまざまな特典をつけて自分のエリアへの月額サブスクリプション登録を促したりという工夫をしています。なおロバックスの価値は、1ロバックスあたり0・01ドルに固定されています。

アイテムやゲーム内サービスの価格は、数セントのものから、一般的には5ドル前後、高額な限定品になると1000ドルを超えるものもあります。高いように思われるかもしれませんが、獲得した金額のうち約7割をロブロックスが手数料として受け取り、残りの約3割がゲーム開発者に分配される仕組みであるため、大きな利益を出すのは簡単ではありません。しかし、新規ユーザーが爆発的に増加するにつれて、大きな収益を上げる人たちが出てきているのも事実です。

開発者は2020年の段階で全世界に700万人以上。そのうち96万人が年間で報酬を受け取っており、1050人が年間1万ドル以上、250人が10万ドル以上を稼いでいると発表されています。また、2020年1月から9月までの間に合計2億9000万ドル以上の取引が行われたとされます。このうちのすべてが現金化されているわけではないので、開発者が実際に受け取った現金はもっと少ないはずですが、クリエイター経済がしっかりと確立されていることがわかります。

ロブロックスがビジネス界から注目を集める理由

ロブロックスは「体験型広告」と呼ばれる、ブランド体験に主軸をおいた広告を展開していることにも特徴があります。前章で紹介した、ナイキランドはロブロックスの専用エリアです。そこでユーザーはつくり込まれたスポーツのアトラクションを楽しんだり、限定のアバターグッズを手に入れたりすることができます。アバターグッズには無料のシューズやTシャツもあれば、有料で販売されているものもあります。このような体験を通して、小学生などの若年層にブランドを浸透させようとしているのです。

また、アミューズメントパークのユニバーサルスタジオも本格的なエリアを提供しています。そのエリアでは、「ジュラシック・パーク」や「ハリー・ポッター」など、実際にあるアトラクションがバーチャルで再現されており、内部の細かいところまで現実を模してつくられています。もちろん、限定グッズの販売も行われています。ほかにもディズニー、レゴといった有名企業からグッチなどの高級ブランドまで、さまざまな企業が自社のエリアを持ち、ロブロックス内でアバターグッズを販売しています。アバターグッズの販売はいまのところ、あくまでも広告という位置づけですが、将来のメタバースにおけるeコマースの可能性を示していると言えるでしょう。

このようにロブロックスはゲームプラットフォームでありながらも、いま各企業からビジネス面で最も注目を集めているメタバースです。同社のデイヴィッド・バズッキCEOは、2021年1月に米ニュースメディア、ワイアードに「メタバースが近づいている」というコラムを寄稿し、次のように述べています。

「2021年にかけて、メタバースは広く利用され、人間の共同体験のユーティリティとなり始めるでしょう。人々はゲームをするためだけでなく、新しい映画の予告編をチェックしたり、ユーザーが作成した動画を見て笑ったりするために、仮想世界に集まるようになるのです。教育は、オンラインでのプログラミングの学習から、物理学や生物学のシミュレーションによるコアサイエンスの学習へと移行し、最終的にはそのなかで教室が構成される没入型環境となるでしょう。大学のキャンパスや企業の本社など、見慣れた物理的な場所を再現して、遠隔で働く同僚と会うのも楽しいかもしれません」

ロブロックスは現在のところ、ゲームプラットフォームとしての側面が強いため、ビジネスの場としては限定的であると言わざるをえません。しかし、そのコミュニティは着実に成長しており、今後はビジネスのみならず、教育分野にも広がっていく可能性を秘めています。では、その先に何があるのでしょうか。バズッキ氏は次のように結論しています。

「メタバースは、電話やインターネットと同じくらい大きなオンラインコミュニケーションの変化であると言っても過言ではありません。今後数十年の間に、その応用は私たちの想像を超えるものになるでしょう。おそらく、それがもたらす最大のチャンスは、あらゆる階層の人々を集め、市民的なデジタル社会を育てることになります。２０２１年、その新しい社会が現実に出現し始めるでしょう」

第3章 メタ・プラットフォームズの野望

八つのキーワード

２００４年に設立されたフェイスブックは、ＳＮＳの企業として成長を続けてきました。２０２１年12月の月間利用者数は29億１０００万人。現在でも世界トップのＳＮＳとして君臨しており、傘下にメッセンジャーアプリのワッツアップ（WhatsApp）、写真を中心にしたＳＮＳであるインスタグラムを持っています。フェイスブックはＳＮＳに投稿されるデータをもとに、ユーザーの好みに応じた広告を表示することで収益を出すというビジネスモデルで成長を続けており、Web2.0型の企業として最も成功した企業の一社と考えられています。

さらに、２０１４年にはＶＲハードウェアのベンチャー企業、オキュラスＶＲを買収。目下、ＶＲ・ＡＲを事業の中核の一つとすることを推し進めています。つまりメタは、フェイスブックとして行ってきた既存のＳＮＳサービスと、新たに始めたＶＲ・ＡＲ事業との垣根を取り払い、全体としての中核事業化を図ろうとしているのです。

では、フェイスブックが社名を変更してまで取り組もうとしている戦略とは、どのようなものでしょうか。メタバースとは何かというさまざまな議論がなされるなか、メタもまた、独自のメタバース像を提示しています。それが披露されたのは、フェイスブックによる２０２１年10月の年次カンファレンス「コネクト」でのことです。ザッカーバーグ氏は、講演で自社のメタバースを基本的な概念に分けながら説明しました。それは次の8つです。

- センス・オブ・プレゼンス（没入感、実在感）
- アバター
- ホームスペース
- テレポート
- 相互運用性（インターオペラビリティ）
- プライバシーと安全性
- バーチャルグッズ
- ニューラルインターフェース

聞きなれない言葉が並んでいるように感じるかもしれませんが、これらはメタがオキュラスVRを買収後に行ってきた技術的な拡張から考えると、かなり手堅い内容です。すでに「クエスト2（Quest2）」向けに提供されている機能やサービスのなかに実現されているものもあります。

そのため、荒唐無稽な目標を提示するのではなく、メタがこれまでの戦略の延長線上にメタバースを展開するうえで、個々の技術についてそう遠くない未来の実現性が担保された適切な選択肢を選んでいるようにも感じられました。それぞれの項目について、説明していきます。

中心にあるのはXRのイノベーション

まず没入感あるいは実在感と訳される「センス・オブ・プレゼンス」は、VRやARの技術革新の重要な要素として、ザッカーバーグ氏が繰り返し強調してきたものです。メタが他の企業と大きく違っている点は、VRやARを事業の中心として、メタバースの展開を進めているところにあります。

メタは、Web2.0型のSNSとしてフェイスブックやインスタグラムといったサービスを展開し、すでに大きく成功しています。それらに加えて、仮想空間での体験を提供することで、コミュニケーションをより深いものに変質させていくことを考えているようです。そのためにクエスト2といった専用のVRデバイスを開発・販売しており、既存の2Dモニターでは得られない、圧倒的な実在感を生み出せるようになっています。

二つ目の「アバター」は、デジタル世界のなかでの自分の代わりとなる分身のことです。

クエスト2では、顔や服装などを選択して、自分のアバターを作成することができるのですが、これが将来的には、写真をもとに自分そっくりの精巧な3Dアバターを表示したりできるようになります。カンファレンスでは、SF映画に出てくるロボットのようなアバター同士でカードゲームを遊んだり、アバターを思い思いに着飾らせて友達とコンサートに行ったりする未来が描かれていました。

三つ目の「ホームスペース」は、仮想空間における自分のプライベートスペースのことです。植物や家具などの調度品を置いたりして、自由にカスタマイズできます。他の人を招いておしゃべりをしたり、逆に出かけていったりすることが手軽にできます。この機能は、すでにパソコン用のサービスとして提供されていましたが、成功はしていませんでした。今後、改めてその機能を、メタが基本機能として組み込んでくる可能性があると考えられます。

四つ目の「テレポート」は、インターネットブラウザを使ってネットサーフィンをするぐらいの気軽さで、任意のVR世界を切り替えられる機能を指しています。メタバースではユーザーによって多数の空間がつくられますが、それらの空間を自由に行き来し、動き回れるようにするには、標準システムの適切な設計が重要になってきます。フォートナイトやロブロックス同様の手軽さを実現することを考えているようです。

五つ目の「相互運用性（インターオペラビリティ）」は、アプリケーションやハードウェアの垣根を越えて、共通のアバターやアイテムを利用するための仕組みのことです。メタバースにおいて、相互運用性が非常に重要な要素であることは前にも述べました。なぜなら、これまでのオンラインサービスの世界では、それぞれのサービス内に情報が閉じられており、そこから別のサービスへとデータを持ち出す方法は基本的に存在しなかったからです。例えば、あるサービスにおけるアバターを、そのまま別のサービスでも使用する、ということは基本的にはできないのです。

一方でメタは、自社のアバターシステムをクエスト2向けに発売されているさまざまなゲームに組み込む形で、相互運用性を提供し始めています。最初に対応したアプリとしては、VR卓球ゲーム「イレブンテーブルテニス（Eleven Table Tennis）」があり、プレイヤーの上半身をメタの提供するアバターに切り替えることができます。

ただし、メタは他社のプラットフォームとの相互運用性までは考えていないようです。現状明らかになっているものとしては、フェイスブックやインスタグラムなどとの連携や、同社が提供しているゲーム以外のメタバースサービスの利用といった形での限定的な相互運用性です。あくまでも、メタのサービス内で「壁に囲まれた庭（Walled Garden）」を提供するという姿勢が感じられます。この言葉は独占的な立場から完結したサービスを提供するWeb2.0型のプラットフォームを指し示す意味で使われます。

六つ目の「プライバシーと安全性」は、メタがフェイスブックのサービスを展開するうえで、大きく批判を受けてきた部分です。メタバースでは、その課題をきちんと考慮してサービス設計を行い、安全性を確保するという宣言なのでしょう。講演のなかでザッカーバーグ氏はこの問題について2度も時間を取って言及しました。

七つ目の「バーチャルグッズ」は、メタバース内で流通するデジタルアイテムのことです。講演では、仮想の部屋（ホームスペース）を飾ることができる装飾品が紹介されていました。装飾品に限らず、アバター用の服やアクセサリーなどのファッションアイテムがメタによって販売されるようになる日はそう遠くないでしょう。

重要なポイントは、バーチャルグッズにNFTを絡めると述べていた点です。NFTによってデジタルアイテムを唯一無二の商品として、流通させる計画を持っているということです。ただ、メタの発行するNFTをどこまで外部企業のサービスが扱えるのかは、現状不明瞭です。NFTそのものもメタのプラットフォーム内での利用に限るなどといった制限を課すと予想されています。

最後の「ニューラルインターフェース」は、神経系からの情報を使うことで、最終的にはコントローラーなどの入力デバイスなしに手の動きやジェスチャーだけで、あるいはデバイスをつけていることを忘れるくらい自然に操作ができるようになることを意味しています。VR・ARデバイスを自社で展開しているメタならではと言えるでしょう。VR・AR空間で、誰もが迷うことなく、さまざまな操作を簡単に行うには、既存のパソコンやスマートフォン向けのインターフェースとはまったく違った仕様が求められます。メタはこの分野への研究開発にとても力を入れており、すでにクエスト2向けに専用のコントローラーを使わずとも、センサーで手や指の動きを感知し、操作できるようにする「ハンドジェスチャー」という機能を追加しています。

ここまで、メタがどのようなメタバースを目指しているかということをキーワードごとに見てきました。すでに存在するメタバースと重なる部分も少なくありませんが、メタのメタバースの中心にはXRがあり、その分野のさまざまなイノベーションによって、ユーザーの体験をさらに深化させようとしていることがよくわかるのではないかと思います。

メタバースによって雇用を生み出す

率直に言うと、ザッカーバーグ氏が提示したメタバース像は、開発中のものも含め、過去に発表された技術の延長線上にあるもので、特段目新しいものではありませんでした。また、それぞれの機能を未来の物語風に動画仕立てで紹介していたため、現在の技術水準で実現可能なことと、そうでないことが混在していて、わかりにくい部分もありました。

動画内の登場人物は、ほとんどの場合、ＡＲグラスだけでメタバースに簡単にアクセスしているように描かれています。例えば、ザッカーバーグ氏がオリンピックのフェンシング金メダリストとの対戦トレーニングを受けるシーンでは、ＡＲグラスを通じてホログラム状の対戦相手が表示され、その剣の突きを防いだり、逆に突きをヒットさせたりしていました。しかし、こうしたシミュレーションは現在の技術では難易度が高いのが現実です。メタの最終ゴールがデバイスをつけていること自体を意識しない環境をつくり出すことであることはよくわかったものの、実現するにはかなり時間がかかりそうな印象を受けました。

それでも、長年明確に区別されてきたリアルとバーチャルの間の境界線がもはや意味を失いつつある時代に私たちが立っているのだ、という雰囲気を伝えるには十分なものだったと言えます。その意味で、ザッカーバーグ氏の発言のなかで興味深かったのは「メタバースを生み出すことで雇用をつくり出す」と強調していた点です。より具体的には、「私たちの希望はみなさんと取り組むことで、今後10年以内にメタバース人口が10億人に達し、そのデジタルコマースが数千億ドル規模となり、数百万人のクリエイターや開発者の雇用を支えることです」と述べています。

VR・ARの利用者を10億人にまで到達させるということはザッカーバーグ氏が長期のビジョンとして、過去に何度も述べていた点でしたが、それが「メタバース人口」という形で再定義されています。そして、その実現のためにオープンなプラットフォームを開発するとし、クリエイターや開発者の参加と協力を呼びかけたのです。さらに、「メタ」への社名変更は、特定のサービス名であるフェイスブックでは収まらなくなってきた各サービスを、メタバース中心のものにまとめあげるためのものである、という説明がなされました。

このザッカーバーグ氏の講演は、もはや単なる巨大IT企業のCEOという枠を超え、政治家の所信表明演説のようにさえ感じられるものでした。基調講演の反響は大きく、さまざまな賛否を引き起こすことになりました。そもそも、現在ハードウェアの普及を牽引しているゲームだけでは、このビジョンは実現できないと考えられるからです。家庭用ゲーム機はヒットすると数億台の販売に成功することがありますが、それでも上限がありますし、クエスト2は、2022年5月には約1500万台の販売に成功したと推計されており、2022年内に2000万台に到達する可能性も十分にあると考えられています。しかし、大きな目標には、まだまだ足りません。

10億という単位にまで広げるには、スマートフォンに匹敵するような販売台数が必要になります。2016年以降、スマートフォンは毎年全世界で15億台を超える販売を達成しています。つまり、VR・ARデバイスの普段使いが生活習慣になるほど一般に普及しなければ、到底起こり得ない数字ということです。それでも、数年後に振り返ったときに、結果がどのようなものであるにせよ、一つの時代の分水嶺となった講演として位置づけられることは間違いないでしょう。

独自のサービス「ホライズンワールド」

メタのプラットフォーム上でビジネスをするには、基本的にはアプリをユーザーにメタのアプリストアで購入してもらう必要があります。現在、クエスト2向けに販売されているアプリの大半はゲームで、既存のスマートフォン向けのアプリストアと同様に販売金額の30%が手数料として取られるという仕組みです。

メタは、品質を厳しく管理することで、VR体験の質をユーザーに保証するという戦略を取っており、企画審査を通り、独自の品質テストをクリアしたタイトルのみが発売を認められます。そのため年間100タイトル程度しか、公式ストアで新規販売されておらず、開発能力のある限られた企業でないと事実上参入できない状況になっています。

ただ、簡単な審査でアプリを公開できる「アップラボ（App Lab）」という仕組みも、2

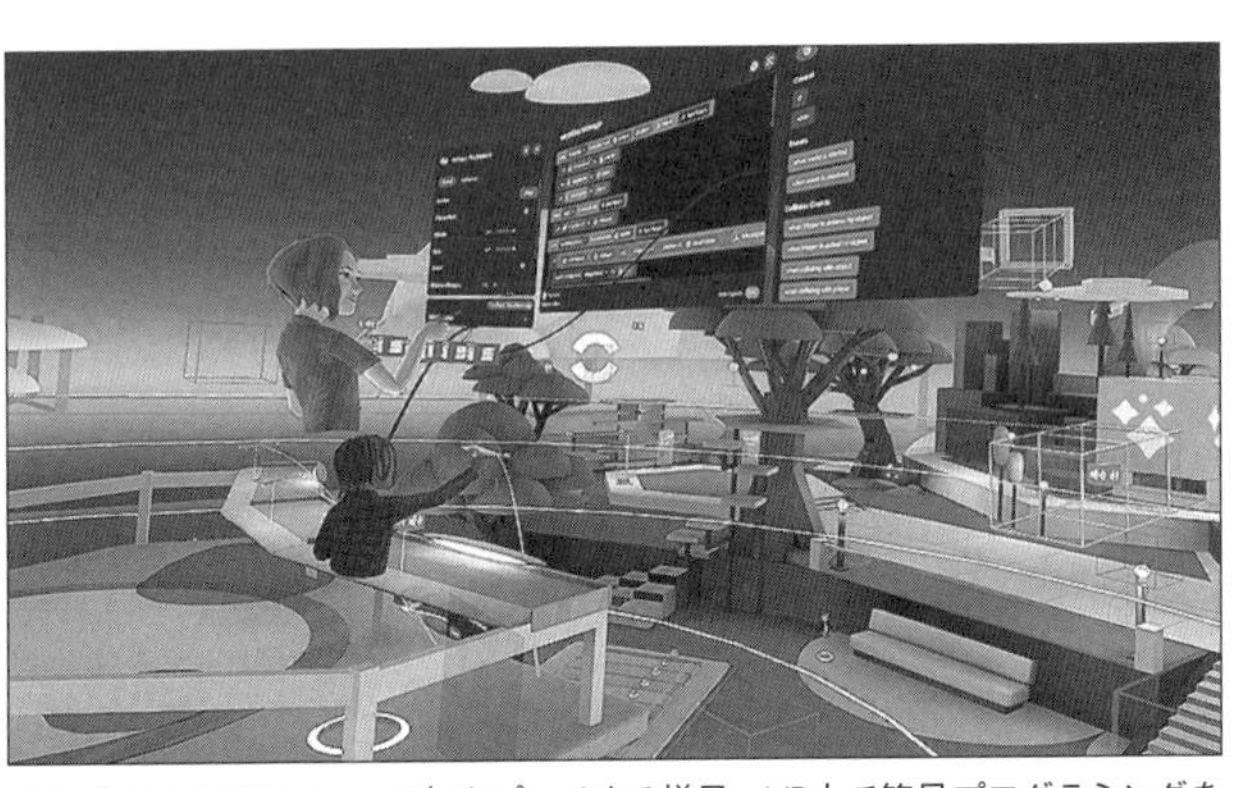

メタ「ホライズンワールド」をプレイする様子。VR内で簡易プログラミングをしている。

021年2月より提供が開始されています。これはメタのプラットフォームでアプリを販売できるものの、公式ストアに表示されることはなく、販売先のリンクのみが表示されるという仕組みです。ストアに置かれないので、マーケティング的な支援を受けられず、自らの努力によってユーザーの認知を獲得しなければならない、という難しさがあります。ですが、この仕組みが始まって1年間で1200あまりのタイトルが公開され、高い評価を獲得したタイトルの一部は、公式ストアでの販売が認められるケースも出てきています。

このビジネスモデルは、公式ストアでの販売本数や品質管理について大きな制限があることを除けば、既存の家庭用ゲーム機やスマートフォンのアプリビジネスと大きな違いはありません。

一方で、メタが現在力を入れているのは独自のメタバースサービスの確立。つまり、クエスト2向けに展開されている「ホライズンワールド（Horizon Worlds）」です。ザッカーバーグ氏が講演で語ったメタバース像は、このサービスを前提としているように思えます。ホライズンワールドは、2021年12月から北米で正式サービスを開始しており、ゲームなどのアプリと並ぶ、今後のメタの主力事業として位置づけられています。端的に言うならば、VRとUGCを前提としたメタ版のロブロックスです。

ユーザーはVR空間内に用意されている独自ツールを使って、オブジェクトを作成したり、配置したり、自分専用のバーチャル空間（「ワールド」と呼びます）を持つことができ、それを自由にカスタマイズすることができます。レゴブロックを組むように、自由に3Dモデルをデザインできるツールが組み込まれているので、それを利用して建物や小物などを作成して配置することもできます。簡易プログラミング言語によって、それらのオブジェクトの振る舞いも設定できるため、ゲーム空間をつくることもできます。

そして、ワールドを充実させるために、メタは1000万ドルの開発支援ファンドを立ち上げ、有力なワールドを制作している人たちに開発支援金の提供を行っています。実際につくられているワールドは、さまざまです。銃で撃ち合うシューティングゲームのような空間や、多くの人が集まって一緒に瞑想を行うようなソーシャル空間、鉄道に乗って旅をしながら、ただ会話をするための空間などです。あるいは、ネズミのように小さくなったアバターを使って部屋からの脱出を目指すパズルゲームや、ファッションショーを行うためのキャットウォークと観客席が配置されている空間など、ユニークなアイデアのワールドが次々と登場しつつあります。

もちろん、どのワールドもリアルタイムに複数人が同時参加することが可能となっています。そして、それらのワールドはユーザーが独自に作成し、他のユーザーに公開することもできるのです。ただし、クエスト2のハードウェアの性能に依存するため、表現できる空間のサイズやグラフィックスの品質には、もとより限界が存在します。その限界のなかで、実現できる表現の模索が続いているというわけです。

ホライズンワールドでは、2022年4月に収益化プログラムが開始されました。これによってクリエイターが、ワールドへのアクセス権、ホライズンワールド内で使えるアイテムやエフェクトを販売することが可能になりました。手数料は47・5%に設定されており、売上の5割以上はクリエイターに渡される仕組みです。割高に感じられるかもしれませんが、ロブロックスの手数料の7割を意識した設定であると考えられます。

ザッカーバーグ氏は、収益化プログラムの発表を行った動画で「(ホライズンワールドのツールを）構築するという点では、本当に繰り返し改善を続けるプロセスになるでしょう。ただ何かを出して終わりというわけではありません。皆さんが何をつくるのか、見たいと思います。そして、その世界を使っている人たちの反応を見ながら、次のツールをつくり、さらに改良を加えていきます」と述べています。まだまだ、初期段階ではあるとは認めたうえで、自前のメタバース上で、さまざまなビジネスが成立しうるクリエイティブ経済圏を立ち上げるという段階に、メタは進みつつあります。

さらに、ホライズンワールドは、今後、スマートフォンへの展開も予定していることが明らかにされています。メタの強みでもある、フェイスブックやインスタグラムなどのSNSとの機能連携も進めていくのではないかと予想されます。

ただ、2022年6月時点では、サービスがアメリカ・カナダ・イギリスに限られており、同年2月の月間アクティブユーザー数も30万人程度なので、数多くのユーザーが常時使うまでにはほど遠い状態です。それでも、SNSとの連携をはじめとした機能の強化が進められることで、このサービスは直接的にロブロックスと競合し、将来的には他のメタバースサービスの大きな脅威になるだろうと考えられます。

メタとアップルの因縁

２０１４年に、メタがＶＲハードベンチャーのオキュラスＶＲの買収を決断したとき、当のオキュラスはあくまでもＶＲデバイスをゲーム機として展開していました。しかし、ザッカーバーグ氏はゲーム機としてのＶＲデバイスには大きな魅力を感じてはいなかったようです。買収を決断した背景には、「次の10年でＶＲが、ニュース、スポーツ、映画、テレビ、そして、ビジネスミーティングの場といったあらゆるもので使われるようになる」という彼自身の予想があったようです。ＶＲの持つ没入感が多くの人を引き付け、スマートフォンの次のデバイスとして一般に普及していくはずだと考えていたのでしょう。

当時のフェイスブックにとって、他社がまだ進出してない分野で、独自ハードウェアを持ち、そのすべてを自社でコントロールできるプラットフォームを手に入れることは、ビジネス上の切実な望みでもありました。初期のフェイスブックはパソコンとともに成長しましたが、その後、ビジネスの中核は、パソコンからスマートフォンへと変わりました。ところが、スマートフォンのプラットフォームは、アップルとグーグルが支配しており、そこでビジネスを展開しようとするとさまざまな制約があったからです。

特にその問題が露呈（ろてい）したのが、２０１１年のアップルとの対立です。当時は、パソコン版フェイスブックで大ヒットしていた農園ゲーム「ファームビル（FarmVille）」のスマホ版への移植が進んでいるところでした。その手始めに開発されたのが「iPad」版です。「埋め込み型」と呼ばれるタイプのアプリで、アプリ自体はアップルのアップストアからダウンロードするものの、起動するとウェブブラウザの情報がそのまま表示される仕様になっています。

ところが、アップルはその埋め込み型アプリのリリースを認めませんでした。iPhoneやiPad用の専用ソフト（ネイティブアプリ）として開発されていない埋め込み型だと、常にウェブから情報を読み取ってアプリ上に表示することになるため、開発側がゲームのデータをいつでも自由に入れ替えることができるからです。つまり、アップルはゲーム内容の審査を事実上することができないということになります。

また、開発側はさまざまに付帯するライセンスを気にすることなく、ゲームを提供できるようになります。さらには、そのアプリを窓口にすれば、アップストアを経由することなく、他のゲームを提供することさえもできるのです。アップルにしてみれば、この埋め込み型アプリを認めてしまうと、自分たちのiPhoneを中心としたプラットフォーム上に、勝手に別のプラットフォームをつくられてしまうことと同義になってしまうため、絶対に譲ることができない点でした。

結局、この埋め込み型アプリは、パソコン版とは別のものとするという形でリリースされました。そのため、パソコンで遊んでいたユーザーは、そのデータをスマートフォンに持ち込むことができず、スマートフォンで遊ぼうと思ったら、新しくゲームをゼロからスタートする必要が生じました。ハードウェアを持っているアップルのほうが立場的に圧倒的に有利であり、スマートフォン上でビジネスを展開するために、フェイスブックはアップルの条件を飲まざるを得なかったのです。

なぜオキュラスを買収したのか

この挫折を通じて、ザッカーバーグ氏は、次世代の主流になるハードウェアを自社で持つという野望を強めたと考えられています。当時、GAFAMで唯一、ハードウェアビジネスを展開していない企業だったからです。フェイスブックは、2013年に独自スマートフォンの開発に挑戦したものの、リリースにはこぎつけましたが、まったく成功しませんでした。2014年にオキュラスを買収し、VRの分野への本格的な参入を決めたのも、新しい技術であれば他社に先んじるチャンスを得られるかもしれない、という期待があったからかもしれません。

ただし、そこからの道のりは決して平坦ではありませんでした。まず、2016年に発売した、パソコンに接続して使用するタイプのVRデバイス「オキュラスリフト（Oculus

Rift)」が、大きな話題を集めた割には数十万台程度しか売れないニッチなハードに終わりました。リアルタイム3DCGを表示させるために、20万円程度の高性能なゲーミングPCが必要なうえ、発売当初はデバイス本体と専用コントローラーのセットで約800ドル（日本での販売価格は約11万円）を超える価格設定だったことが主な理由です。また、VRデバイスを適切に動作させるための設定にパソコンの専門知識が求められ、一般ユーザーが手を出しづらかったということもあるでしょう。

そこで2018年には、性能を絞りこむことで、199ドル（日本での販売価格は2万3800円）という低価格を実現した一体型の「オキュラスゴー（Oculus Go）」をリリースしました。一体型とは、パソコンに接続しないで使うことができるハードウェアということです。しかし、今度はあまりにも性能が低すぎました。入門用ハードウェアという位置づけではあったものの、視点が固定されたVR動画を見ることぐらいしかできないため、多くのユーザーを引き付けることができなかったのです。

戦略が整理され始めたのが、2019年の「オキュラスクエスト（Oculus Quest）」のリリースからでした。オキュラスクエストは現在モデルのクエスト2と同じ一体型ハードウェアで、センサーによって現実空間と仮想空間の位置関係を把握し、そのギャップを自動的に調整することができるという強みを持っていました。ただし、当時はVRハードウェアの市場規模がそれほど大きくなく、ターゲットが異なるとはいえ、3種類の製品を投入していたことで非効率な状態に陥っていました。この状態を打破するきっかけとなったのが、2020年に発売された「クエスト2」です。

クエスト2は前身のオキュラスクエストに比べて、搭載された半導体性能が大幅に高く、迅速な処理が求められるゲームでも十分に動作可能でした。そして、そのような高機能デバイスを299ドル（日本での販売価格は3万3800円）という家庭用ゲーム機を意識した低価格に設定するという戦略が大当たりしました。この成功によって、フェイスブックは他のセグメントのハードの販売を終了し、新機能の開発をクエスト2に集約していくことになります。

表現力が豊かなパソコン用VRデバイスとして販売していた、オキュラスリフトの後継機「リフトS（Rift S）」の販売も終了しました。その代わりに、クエスト2にケーブル接続でパソコン用VRとして使用できる「オキュラスリンク（Oculus Link）」モードを搭載。現在では、「オキュラスエアーリンク（Oculus Air Link）」というモードも開発され、無線LAN環境を通じてケーブルなしにパソコンのVR環境を表示できる機能も追加されています。また、ソフト面ではクエストストアを展開し、先に述べたように厳しい品質管理を行っています。ストアではクエスト用に開発された専用アプリ以外は販売できないため、これも独自ハードウェアの優位性として機能しています。

現在、メタはＶＲハードウェアの販売会社としては一強状態にあります。一体型ＶＲデバイスの市場をほぼ独占しており、パソコン用のＶＲデバイスもシェア5割を押さえています。ゲーム機に近い位置づけで全世界の家電量販店やゲームショップで展示販売を行い、さらに品質コントロールされたソフトのラインアップが成功を生み出したと考えられています。

バーチャル会議室アプリの変遷

メタは、ＶＲゲームを「ＶＲ体験に導く入り口」として定義しています。現在、ストアで販売されているアプリは４００あまりで、そのうちの60％がゲームです。既存の家庭用ゲームやスマートフォンゲームと異なり、ＶＲ空間の中に入り込んで、体を動かして遊ぶという「ＶＲならではの体験」ができることが大きな売りです。代表的なものとしては、飛んでくる箱を音楽のタイミングに合わせて切るリズムゲーム「ビートセイバー」、「フォートナイト」をＶＲで実現するというコンセプトでつくられたシューティングゲーム「ポピュレーション：ワン」などが世界中でブームになりました。ボクシングのようにタイミングに合わせて腕を動かすフィットネスアプリ「スーパーナチュラル」なども人気です。

また、メタはアプリの販売ランキングでトップに立つような高い評価を獲得した開発会社を次々に買収し、傘下に加えるという戦略を推し進めています。これによって多様なジャンルで安定的に品質の高いゲームを出し続けられる体制づくりを目指しているようです。

メタはＶＲ・ＡＲ分野を推し進めるために、莫大な投資を続けていますが、この事業は２０２１年に１０２億ドル（約1兆１７００億円）という巨額の損失を出しています。売上高は23億ドルに過ぎないため、大幅な赤字事業なのです。にもかかわらず、全従業員４万５０００人のうち約2割が、この事業に従事していると言われています。フェイスブックやインスタグラムなどの収益源があればこそできる投資のスタイルではありますが、メタが将来を見据えて本気でメタバースに取り組んでいることが伝わってきます。

もっとも、ザッカーバーグ氏の「10億人のユーザーをメタバースに参加させる」という大きな野望を実現するには、多くの人がＶＲを日常の生活のなかで普通に使用するような環境をつくり出さなければなりません。そのためには、ゲームだけでは不十分で、「ＶＲ空間上で共同作業できる環境」をつくり出すことこそ普及への道筋である、と当初から考えていたように思われます。

例えば、オキュラスリフトの初期のデモンストレーションでは、現実世界の別々の部屋から仮想空間にアクセスすることで、同じ部屋にいるかのように一緒に遊ぶことができる

「トイボックス（Toybox）」というアプリが紹介されていました。これは仮想空間で同時に複数人のやり取りを実現させる「ソーシャルインタラクション」を目玉にした点が新鮮でした。仮想空間の部屋に積み木のようなブロックや、ロボットのおもちゃ、花火、光線銃、リモコンなどのさまざまなオブジェクトが置かれており、それらを自由につかんで遊ぶことができる、という現在の技術からすると素朴なものでした。しかし、リアルタイム３ＤＣＧの空間に入って、自分以外の人間と共同で何かをする、という体験のなかに、圧倒的な没入感が実現されていました。

ザッカーバーグ氏はオキュラスＶＲの買収を検討する際、このデモを通じてＶＲでのソーシャルインタラクションの可能性に強く惹かれたようです。実際に、メタ（フェイスブック）はソーシャルインタラクションの機能を拡張し続けています。中核サービスの一つが、２０２１年に登場した「ホライズンワークルーム（Horizon Workrooms）」です。このサービスは、ＶＲ空間内で複数人のオンライン会議を可能にするシステムで、最大16人まで同時アクセスが可能です。ＶＲデバイスを使わずに、「Zoom」のようなビデオ会議システムと同じようにウェブカメラで同じ空間にログインすることも可能になっており、その場合には最大50人までのアクセスに対応しています。これによって、利用者が物理的にどこにいても、同じバーチャルルームに集まって一緒に仕事ができる「コラボレーション体

2021年に開始されたホライズンワークルーム。

験」を得ることができるというわけです。

ホライズンワークルームが登場するまでに、メタはオンライン会議室システムを3度もほぼゼロからつくり直しています。その変遷から、VR空間において没入感を生み出すには何が重要かを垣間見ることができます。まず、2016年に一体型のオキュラスゴー向けにリリースされた「オキュラスルーム（Oculus Rooms）」は、自分の分身であるアバターと音声チャットを組み合わせたシステムで、ユーザーたちは同じVR空間で一緒に動画を見たり、簡単なゲームをプレイしたりすることができました。

ただし、アバターの表現は非常に簡素なもので、目にはサングラス状のメガネが固定されており、会話の際も口の動きはなく、話している人を示すアイコンが表示されるだけの仕組みになっていました。腕の動きも省略され、コントローラーの動きに対応した手の先の部分だけが表示されるシステムでした。これは当時のオキュラスゴーの性能の低さによる技術的な制約が大きな原因でした。

しかし、体験してみるとわかるのですが、サングラスを付けたアバターでは相手の視線がわからないため、圧迫感や不自然さがあります。私たちは普段の生活のなかで、サングラスを掛けている人ばかりで集まって話をする機会はありません。目や口の動きがない状態では、やはり自然なコミュニケーションがしづらいのです。このサービスは実際にあまり普及した様子がなく、2019年に終了しています。

2017年には、別のシステム「フェイスブックスペース（Facebook Spaces）」がオキュラスリフト向けにリリースされています。2016年の発表時に行われたデモでは、ザッカーバーグ氏を模したアバターのザッカーバーグ氏が登場し、自身の自宅を360度撮影したパノラマ映像のなかで、スタッフと一緒にミーティングをする様子がリアルタイムで紹介されました。アバターは簡素なグラフィックスで、表情も豊かとまでは言えませんでしたが、本人に似せてつくられています。

このデモには画期的なポイントがあり、アプリ「メッセンジャー」を使って通話をしてきた女性が、VR空間にいる人たちとスマホのカメラ映像を通じてリアルタイムにコミュニケーションする様子が描かれていました。つまり、既存のフェイスブックのサービスしか利用していない人であっても、簡単にVR空間にアクセスすることが可能ということです。この機能は今後、フェイスブックの既存サービスをVRと融合させていくうえで戦略的にも重要なものでしたが、時期尚早だったのかフェイスブックスペースというサービス自体は2019年に終了しています。

ホライズンワークルーム、驚きの没入感

ホライズンワークルームは、これらの過去の失敗から多くを学んだうえで、改めて設計し直されたビデオ会議システムです。筆者も実際にサービスを利用してみましたが、過去のサービスと比較すると驚きの連続でした。各ユーザーのアバターは、完全に刷新されてアメリカのマンガ調のデザインになっており、顔パーツ選択肢も数多く用意されています。上手に選択すれば、自分にかなり似せたアバターをつくることも可能です。

また、アバターには上半身だけでなく、腕と手が表示されており、なによりも滑らかな手の動きに驚かされます。クエスト2のハードウェアの特性上、VRデバイスを被っている頭と、専用コントローラーを持っている右手、左手の3箇所しか、ハード側は座標情報を取得できません。それ以外の腕の位置や、肘が曲がっているかどうかといった動きは、

プログラムによって推定しています。そのシステムが非常に優秀で、アバターが違和感なく動作するのです。

顔の動きについては、フェイスブックスペースでは簡単な表情だけだったものが大きく進化し、音声入力に合わせて、口の筋肉の動きをシミュレートして表示できるようになっています。そして、アバターには目も表示されています。もちろん、クエスト2には目の動きを検出するセンサーが搭載されていないので、目の動きを正確に追跡することはできません。しかし、適度なタイミングでの瞬き(まばた)と、頭の動きに合わせて視線が少し変化するという表現上の工夫によって、実在の人と対面している感覚が得られます。

また、3Dオーディオシステムにより、誰がどの方向にいるかを奥行き感とともに感じさせることにも成功しています。クエスト2に搭載されているスピーカーは高価なものではありません。しかし、メタは音の立体感は没入感を生み出すための重要な技術であると位置づけており、技術開発にかなりの力を入れてきました。その甲斐あって、安価なスピーカーでも立体感を与えることのできる音響システムの開発に成功しており、その技術が見事に生かされています。

ここから、視線や瞬きだったり、聞こえてくる音の向きや立体感であったりの積み重ねこそが、「そこに本当の人間がいる」という認識をつくり出すうえでとても重要なのだということがよくわかります。ホライズンワークルームには、ウェブカメラやスマートフォンのカメラからでも参加することができ、その場合には、ＶＲ空間に浮かぶ格子状のモニターに参加者が表示されます。同様の方法でパソコンの画面を映し出すこともできるので普通に会議を行ううえで困ることはほぼありません。

実際に筆者が所属していた会社では、日米間のスタッフが参加する毎週定例のミーティングで使っていました。言葉に加えてボディーランゲージを組み合わせることができ、その動きを見ていると、仮想空間上でも人となりが感じられます。そのため、Zoomなどに比べて伝えられる情報が多く、コミュニケーションの円滑化が進む印象があります。

ＡＲは働き方をどう変えるのか

２０２１年のザッカーバーグ氏の基調講演では、「メタバースでの働き方」というコンセプト動画が発表され、その動画では、メタが将来的に目指しているＶＲ・ＡＲを利用した労働環境のあり方が紹介されています。それは次のようなものでした。

コーヒーカップを片手に自席に着いた男性が、机に置かれていたメガネをかけます。このメガネはＡＲグラスで、目の前のコンピュータのデスクトップ画面を空中にホログラムで表示する役割を果たします。ホログラムは指で操作可能なので、男性がタッチして流す

コンセプト動画では、ARグラスを付けた人がメタバースにアクセスし、他の場所から参加している人と空間を共有している。

音楽を選択していると、同僚の女性からプレゼンテーション用の最新の建築データが送られてきます。男性が、その送られてきたデータに触れると、瞬時に3Dモデルとして目の前の空間に表示されます。それを確認して女性にメッセージを返すと、今度はホログラム姿の女性が現れ、ミーティングが始まります。このとき「集中モード」を選択することで、360度見えている映像をVRのみに切り替えることもできるようです。

最後に、先ほどの男性はプレゼンテーション会場に向かいます。ホログラム姿で参加した男性を迎えるのは、会議室状の机にアバター姿で座る人たちと、ウェブカメラでモニター表示になっている人たちです。参加者の女性が「ちょっと待って、マーク（・ザッカーバーグ）はどこにいるの？」と質問し、アバター姿の出席者が「何か用事があるみたいだよ」と返答するところで、動画は終わります。

この動画が示しているのは、メタバースにどこからでもログインでき、お互いが仮想空間を利用して仕事をすることができるようになった未来の姿です。もちろん、今後数年間で実現できるようなものではありません。軽量かつ高い性能を持った、VRとしても使えるようなARグラスを登場させるには、まだまだ技術的なハードルがたくさんあります。しかし、今後十年といった単位で見た場合には、荒唐無稽な話ではありません。

現在、メタは日常利用を可能にする目的で、メガネ型のARグラスの開発を進めています。「プロジェクト・ナザレ（Project Nazare）」と呼ばれるハードウェアで、発売時期は明確には発表されていないものの、2024年に最初のバージョンが発売されると予想されています。マイクロソフトは同様のARグラス「ホロレンズ（HoloLens）」をビジネス用途としてすでに発売していますが、大きく異なっているのが、一般ユーザーを対象にした製品であることです。

VRとARのデバイスは、最終的には統合されていくと考えられています。コンセプト動画で「集中モード」として紹介されていたように、モニターに表示される映像だけを表示するモードにするとVRとして利用でき、モニターを半透明にして表示すればARとして利用できる、といった具合です。ただし、まだそういったデバイスを安価に製造するための手法は確立されておらず、さまざまな企業が取り組んでいるものの、時間がかかりそうです。

一方でメタは、現在の一体型ＶＲデバイスを機能強化することで、ＡＲについても実現する方法を開発しています。それは、「ビデオパススルー方式」を使ってＡＲを実現する方法です。

ＶＲデバイスによってＡＲを実現する

クエスト2には、外部の空間情報を認識するためのセンサーが組み込まれています。このセンサーは、ＶＲ空間内で手の働きをする専用コントローラーの座標を認識するために付いているものです。また、ＶＲをつけている状態でも外部を確認できるように、白黒の画像ではあるものの、センサーを使って外の実世界を映像としてデバイス内に表示させられるようになっています。そのため、クエスト2を装着した状態で、その白黒の映像を見ながら、歩き回ることとさえ可能です。

その機能は、順次強化されており、現在では画面内に自分の指を表示すると、その指をコントローラーの代わりとして認識させるハンドトラッキングにも対応しています。ＡＩ

技術を応用して指の動きを学習させることで、白黒の画像から指の位置や曲がっているかどうかを認識できるよう進化させてきたのです。コントローラーなしにVR空間を操作できるようになるため、利便性が増します。

こうしたセンサーを通じて取得した実世界の映像をVRデバイスのモニターに表示し、その映像を利用してAR化を行う手法をビデオパススルー方式と呼びます。メタは、2022年後半に「プロジェクト・カンブリア（Project Cambria）」と呼ばれるハイエンド一体型VRハードを投入することをすでに予告しています。「クエストプロ（Quest Pro）」という名称になるとも噂されている新型VRデバイスです。当然、ビデオパススルー方式が採用されると見られ、このVRデバイスを通じて、まだ有力な一般向けデバイスが登場していないAR分野でも優位性を築こうとしているのでしょう。

2022年4月にザッカーバーグ氏がこのハードについて行った発言が注目を浴びています。「プロジェクト・カンブリアは、ビジネスでの使用に焦点を当てており、最終的にはノートパソコンや、仕事環境を置き換えるものになるでしょう」と述べており、装着したままで仕事をすることが想定されているというのです。ARグラスの将来像として提示していたビジョンを、新型VRデバイスで実現しようというわけです。

この新デバイスでは、外部から取得している表示映像が白黒からカラーに変わり、モニターの解像度も人間の目に近い画質のものが搭載されるとされています。スマートフォンの技術を転用したモニターを使用しているため、製造費を比較的安価にできるというメリットがあります。メガネ型ARグラスはすぐには投入できないので、それらが登場するまでのつなぎとして、AR体験を十分満足できるレベルで提供することを見込んでいるようです。

この新デバイスには、リアルタイムで視線（アイトラッキング）や表情（フェイストラッキング）を認識するセンサーも組み込まれると発表されています。現在のメタのアバターはプログラムによる推測で表情や視線をつくり出していますが、実際の人間の表情をリアルタイムに反映したほうが、実在感をより高めることははっきりしています。

さらに新デバイスには、奥行き情報を取得するための専用の深度センサーが搭載されることが予告されています。これによって、被った状態で実世界を見ることで、現実の空間が3Dデータとして扱えるようになると考えられます。例えば、ARで表示する仮想モニターを、現実空間にある机の座標と完全に連動させることが可能になります。ARグラスを使用している間は、机の上にモニターがあるように感じられるはずです。

過去のデモンストレーションでは、メタが開発中のセンサーを使って撮影した映像によって、VR上に現実空間とまったく同じような空間をつくり出す様子が紹介されています。これはフォトグラメトリー（写真測量法）と呼ばれる技術で、映像として撮影している情報に、空間の奥行き（深度）情報を組み合わせることで、撮影した映像をリアルタイム3Dのデータとして利用できるようにするものです。現実世界と一致した3Dデータをつくって周りの空間を座標情報として取り扱えるようにすることで、現実世界上にさまざまなデータを付加していくMRとしての利用ができるのです。

新しい経済圏を生み出せるか

現実世界の情報をコピーするようにして、VR空間につくり出された存在を「デジタルツイン」とも呼びます。自分の部屋を完全に3D化できれば、それをVR空間に再現することは難しいことではありません。仮にこうした空間が広がって、メタのサーバ上にデータとして蓄積されていけば、もちろんセキュリティなどの解決すべき問題はありますが、現実世界のデジタルツインが3D空間として広がっていくことになります。

デジタルツインを容易に利用できるようになれば、今後メタバースの世界は劇的に変化するでしょう。最大の効果の一つは、3Dデータによって、コマースへの道が大きく開かれることです。購入の際に実際のサイズ感を知りたいファッションや、自動車、建築といった分野から導入が進んでいくことになるでしょう。VRデバイスを被れば、日常の延長線上でメタバースを利用することができる。そうした普段使いをより加速化させるためにメタが実現しようとしていることは、短期的には非常に明確です。

とはいえ、メタバースの利用者を10億人にするという、メタの野心的な目標を数年間という短期で実現することはやはり容易ではありません。いま、メタが抱えているビジネス上の最大の弱点は、同社のフェイスブック、インスタグラム、ワッツアップなどのSNSサービスの広告収入が、収益の大半を占めていることです。

2021年4月にアップルが行ったiOS向けのアプリトラッキング透明性の導入により、最大の収益源となっていたスマートフォンでのターゲティング広告を展開しづらくなり、サービスとしてのフェイスブックの収益に大きな悪影響が出ています。これはユーザーがトラッキング広告を受け入れるかどうかについて、事前の確認を求める仕組みです。しかし、あえて受け入れるという設定を行うユーザーは多くないため、効率的な広告表示が難しくなりつつあるのです。すでに、メタは2022年には100億ドル規模の影響を受けると明らかにしています。だからこそ、この状況を打開するために、メタバースの展開に力を入れているとも言えるでしょう。ただ、VR・AR事業がメタの屋台骨を支えるほどの収益性を生み出すまでには時間がかかりそうな状況です。

メタは、VRデバイスの普及を図ると同時に、クエストストアでの「本格的ゲーム」の販売、開発初期または実験的なアプリを提供する実験市場の「アップラボ」、「ホライズンワールド」を通じたVR空間とコンテンツ普及の3つの柱を通じて収益を上げようとしています。しかし、2022年2月にクエストストアのソフトウェアの販売金額の合計は10億ドルを超えたと発表していますが、投資している金額に見合うほどの収益にまではなっていません。

今後、既存SNSサービスのVR・AR事業との統合も推し進めていくと思われますが、それらがもたらす効果もまだ予測がつかない状況です。ただ、ハードウェアを普及させて、多くの人が日常的にVR・ARデバイスを使う環境をつくれるかどうかが、メタの戦略の成功の是非を握っていることは間違いありません。スマートフォンがアプリストアのような独自の経済圏を生み出したように、いまの優位性を生かして、メタのプラットフォーム上にVR・ARのメタバース経済圏を生み出せるかどうかが問われています。

第4章 猛追するマイクロソフトと、その他のGAFA

マイクロソフトの反撃

この章では、メタが積極的な動きを見せるなか、その他のＧＡＦＡＭが何を狙っているかを紹介します。また、家庭用ゲーム機の分野で、マイクロソフトと直接的に競合する日本のソニーも独自のメタバース戦略を推し進めようとしています。ソニーの戦略についても、この章で扱います。

ＧＡＦＡＭとは、グーグル（Google）、アップル（Apple）、フェイスブック（Facebook）、アマゾン（Amazon）、マイクロソフト（Microsoft）の頭文字を取った呼称です。すでにフェイスブックはメタへと社名を変更したため、ＧＡＦＡＭという名称は正確ではなくなってしまいましたが、まだ一般に定着した新しい呼び方は登場していないので、ここではこれまで通り、ＧＡＦＡＭとして話を進めます。

ＧＡＦＡＭのいずれもが、Web2.0時代に独自のプラットフォームビジネスを展開することで、特定のＩＴ分野で独占的な地位をつくり出し、大きな成長を遂げました。その成長ぶりはすさまじく、ＧＡＦＡＭの株式の合計時価総額は２０１０年を基準とすると、２０２０年には9倍の2兆５０００億ドルまで膨らんでいます。各社とも、スマートフォンの次の世代のハードウェア、もしくは、次の世代のインターネットといったものになりうる可能性があるため、メタバースに対しても機敏に対応しようとしています。

そうしたなか、2022年1月、ゲーム業界に衝撃が走りました。マイクロソフトがゲーム会社大手のアクティビジョン・ブリザードを買収する計画が発表されたためです。総額687億ドル（約7兆8700億円）に達する大型買収です。アクティビジョン・ブリザードは、2020年12月期の決算は売上高80億8600万ドル（約8500億円）、最終利益が27億3400万ドル（約2900億円）で、ゲーム会社の売上としては世界第5位、ゲームソフト単体の事業を展開する企業としては、世界最大です。同社よりも上位には、ソニー、中国のテンセント、任天堂、マイクロソフトと、ハードウェアやゲーム以外の事業を手掛けている企業しかありません。

アクティビジョン・ブリザードは、毎年家庭用ゲーム機向けに新作がリリースされ、大ヒットを記録するシューティングゲーム「コール・オブ・デューティ」シリーズ、同じく大ヒットしたヒーロー型のシューティングゲーム「オーバーウォッチ」、大規模多人数参加型オンラインロールプレイングゲーム（MMORPG）の世界的な代表格「ワールド・オブ・ウォークラフト」、また手軽に遊べるパズルゲームとしてスマートフォン向けに大ヒットした「キャンディークラッシュ」など、ゲーム業界を代表するシリーズタイトルを持つ会社として知られています。

ただ、これまでアクティビジョン・ブリザードはさまざまなゲーム開発スタジオの集合体として運営されてきた面が強く、それぞれのゲームタイトルの独立性を保ったまま開発・販売されており、タイトル間での連携は特に行われていませんでした。そして、サービス型のゲームの運用経験も積み重ねてはいますが、メタバースと呼ばれるようなプラットフォームの構築も行ってきていませんでした。ところが、マイクロソフトの買収プレスリリースには「メタバース」という言葉が強調されて登場するのです。

公式の日本語プレスリリースの冒頭で「この買収によって、モバイル、PC、コンソール機、そしてクラウドにおけるマイクロソフトのゲーム事業の成長が加速し、将来のメタバースの構成要素を提供することになると考えられます」と述べられています。さらに、マイクロソフトの会長兼CEOであるサティア・ナデラ氏は「現在、ゲームはあらゆるプラットフォームを通じて、エンターテイメントの中で最もダイナミックでエキサイティングなカテゴリーであり、メタバース プラットフォームの発展においても、重要な役割を果たすことになるでしょう」とも述べ、ゲームが同社のメタバース戦略の中核となることをアピールしています。

この発表によって、マイクロソフトがメタバースビジネスへの本格進出を行うことが、全世界に知れ渡りました。メタのVR領域への攻勢がきっかけとなったという意見もありました。マイクロソフトはなぜこのタイミングでメタバースに進出するのか、ゲームがその中核になるとはどのような意味なのでしょうか。

マイクロソフトVS.ソニー

マイクロソフトが今回の買収でより強く意識していたと思われるのは、ソニーとの競争だと考えられます。マイクロソフトは２００１年に「Xbox」（推定販売台数２４００万台）を発売して家庭用ゲーム機市場に参入しました。その後、２００５年の「Xbox360」（推定販売台数８５００万台）、２０１３年の「Xbox One」（推定販売台数５０００万台）と新ハードを投入し続けています。

しかし、２０００年の「プレイステーション２」（推定販売台数１億５８００万台）、２００６年の「プレイステーション３」（推定販売台数８７００万台）、２０１３年の「プレイステーション４」（推定販売台数１億１７００万台）と、同時期に発売したすべてのゲーム機の販売台数でソニーに勝つことができませんでした。この間、２００６年の任天堂の「Ｗｉｉ」（推定販売台数１億台）が、２社を大きく上回る時期もありましたが、最先端の性能を持ったゲーム機という意味では、マイクロソフトとソニーは常に直接的な競合状態にありました。

その後、ゲーム機は２０２０年に代替わりの時期を迎え、新しい時代に突入します。マイクロソフトは「Xbox シリーズX」と「シリーズS」を、ソニーは「プレイステーション5」の発売を開始し、再び競争状態に入っているのです。これらのハード構成はもはやパソコンに近いものになっており、性能差はほとんどありません。そのため、ゲームユーザーはどちらかのハードを購入したら、もう一方のハードは購入しないという状況になると考えられます。差をつけられるとしたら、どのようなゲームタイトルを抱えているのかというソフト面や、サービス面での充実しかないのです。

その点、ソニーは自社タイトルの開発に力を入れてきました。アクションゲーム「アンチャーテッド」のノーティードック、「スパイダーマン」のインソムニアックゲームズ、「ホライゾン ゼロドーン」のゲリラゲームズなど、世界有数の開発会社を傘下に抱えており、1億ドル以上のハリウッド映画並みの開発費をかけて有力な独占タイトルをリリースすることでプレイステーションのヒットに結びつけてきた実績があります。マイクロソフトも有力なゲーム開発会社を買収してきたのですが、ヒットタイトルの水準としてはソニーには負けている印象がありました。

二つの対ソニー戦略

そこで、マイクロソフトは二つの対ソニー戦略を展開しています。一つが、月額方式のサブスクリプションモデルの採用です。2017年より開始された「ゲームパス（Game Pass）」はXboxか、パソコンのどちらかを選択する場合、Xboxは月9・99ドル（日本では850円）、パソコンは月9・99ドル、両方に対応したプランで月14・99ドル（日本では1100円）という価格設定です。100本以上のタイトルでスタートしましたが、2021年1月時点で370本ものゲームがそのプランで自由に遊べるようになっています。

リリースから数年経った旧作タイトルが多い印象ですが、最新タイトルも含まれており、通常販売の開始と同時にリリースされます。家庭用ゲームソフトの1本あたりの相場が60ドル前後であることを考えると、サービスとしてはかなり格安です。

例えば、歴史をテーマにしたリアルタイムストラテジーゲームの最新作「エイジ・オブ・エンパイアⅣ」は、2021年10月に発売されていますが、販売価格は60ドル（日本での販売価格は7500円）。これも発売日からプランに含まれています。2020年発売の、飛行機操縦シミュレーターとしては最高峰と言われる「マイクロソフトフライトシミュレーター」も販売価格は当初90ドル（日本での販売価格は9870円）でした。そのため、1年間で2本も新作ゲームを遊ぶとユーザーにとっては元が取れるというかなり魅力的な価格設定となっています。

ソニーも「プレイステーションプラス」という類似のサービスを展開していますが、リリース後すぐに新作が遊べるという点や、ラインアップなどの面で「ゲームパス」のほうが魅力的に見えます。

さらに、マイクロソフトが自社タイトルの強化策として力を入れてきたのが、有力ゲーム会社の買収です。最も成功したと言えるのが、2014年のスウェーデンのインディーズゲーム会社モヤンの買収でした。この会社は「マインクラフト」の開発企業です。マインクラフトは、もともとパソコン用に開発されたもので、Xbox向けの独占配信権をマイクロソフトは契約により有していました。しかし、2013年には契約が切れ、PS3やPS4に移植されて、そちらでも大ヒットになっていました。モヤンの買収額は25億ドル（約2680億円）で、ベンチャーのゲーム会社についた値段としては破格とも言える額です。

当時、マイクロソフトが恐れたのは、この開発企業が競合他社に買収され、自社プラットフォームで展開できなくなることだったと言われています。ただ、買収後もヒットは続き、全世界の小中学生を中心に爆発的な人気を得たことで、2019年にはトータルで1億7600万本もの販売本数に達したと発表されています。開発会社も600人に達する大きなスタジオに成長しています。

マインクラフトは、ロブロックスやフォートナイトとたびたび比較されるように、メタバースに必要な要件を多く満たすゲームとして認識されています。多数の人が集まって共通の世界で活動を行ったり、アバターのカスタマイズやワールドそのものをつくり込んだりできるＵＧＣ的な要素を持っているためです。

プログラムなどを学習するための教育機関向けのエデュケーション版なども積極的に展開していますが、基本的なビジネスモデルとしては、「売り切り型」と呼ばれる伝統的な家庭用ゲーム機向けソフトの販売モデルを採用しており、約30ドル（日本では約３０００円）で、一度購入するとその後のアップデートも含めてすべての機能を利用できるようになっています。メタバースのプラットフォームとしての広がりを生み出すための機能拡大は、現状行われていません。

なぜ有力なゲーム会社を買収するのか

マイクロソフトは、この成功を背景に、さらなる大型買収にまで踏み込みました。２０２０年の米ゼニマックス・メディアの買収で、その額は75億ドルでした。開発・販売をしているゲームには、人気ロールプレイングゲーム「ジ・エルダー・スクロールズ」や「フォールアウト」、シューティングゲーム「ドゥーム」や「クエイク」といった熱狂的なファンを持つ人気シリーズがあります。非上場企業のため、売上額は非公開ですが、世界的な有力ゲーム会社であることは間違いありません。ゼニマックスが買収を承諾した背景には、大型ゲームの開発費の高騰が進み、リスクが大きくなったことが原因と考えられています。

2011年に発売されたファンタジー世界を舞台にしたRPGの「ジ・エルダー・スクロールズV：スカイリム」は、ゼニマックスの子会社ベセスダ・ソフトワークスが開発したゲームです。一人用の「オープンワールド」と呼ばれる分野のゲームで、メインのストーリーをクリアするだけでも数十時間が必要ですが、この世界を隅々まで遊ぼうと思うと、何百時間でも遊べるというスケールの大きさが特徴です。登場するキャラクターもその場で生活しているような臨場感があり、150を超えるダンジョンを行き来して、ドラゴンや盗賊と戦ったり、剣や弓、魔法などのゲーム内の能力を極めたりと、さまざまな楽しみ方ができます。

開発には、当時6500万ドルかかったと言われています。ただし、発売から3ヶ月後には、1000万本を超え、売上は6億5000万ドルという空前の大ヒットを記録したことで、コスト回収を達成しています。現在の最新ゲームの開発費はさらに高騰しており、1億ドルを超えるのが当たり前になっています。その高騰するコストを安定化させるために、より資本力のある企業に買収されることには合理性があるのです。

一方で、「スカイリム」はVR対応版がパソコンと、PS4用のVRデバイス「プレイステーションVR（PSVR）」向けに発売されており、現在でも遊ばれ続けています。特にパソコン版には、ゲームのデータを改造できる「モッド（Mod）」というシステムが搭載されており、ユーザーが作成したプログラムを通じてグラフィックスのクオリティを改良してより美しい画像に切り替えたり、ユーザーが作成したキャラクターを追加してゲーム中に登場させたりすることができます。発売からすでに11年が経とうとしていますが、現在でもUGCによってデータの拡張が続けられています。

一人用のゲームですが、仮想のRPG世界に入り込んでずっと冒険し続けることができることから、将来の剣と魔法をテーマにしたメタバースは、このゲームをモデルにして発展するのではないかとも考えられています。

「マインクラフト」も「スカイリム」も、XboxやWindows搭載のパソコンにのみ販売を限定するということは、いまのところは行っていません。多くのプラットフォームに配信して、収益を上げるという伝統的なゲーム販売のビジネスモデルをとっています。一方で、サブスクリプション方式のゲームパスでは、独占配信を行っています。実際に、「マインクラフト」はパソコン版、「スカイリム」はXbox版のゲームパスに加入していれば、追加料金なしで遊ぶことができます。どちらも、いま遊んでも十分に楽しむことができるクオリティです。

現時点で、ベセスダやアクティビジョン・ブリザードの製品のすべてが追加料金なしのゲームとしてゲームパス上で提供されているわけではありませんが、ゲームパスの加入ユーザーは新作を30％オフで購入できるなどの優遇措置がすでに始まっています。この強みを生かして、今後Xboxユーザーへの便宜が図られるケースは増えてくるでしょう。こうした方策によって、２０２０年に始まったＰＳ５対XboxシリーズＸ／Ｓの競争で優位に立とうとしていると見られます。

ゲームをつくることは、メタバースをつくること

マイクロソフトは今回の買収に関して、家庭用ゲーム機市場で優位に立つという目的以外に、中期的な目標を持っているようです。それは取得した技術を公開することで、メタバースを誰もがつくりやすくするというものです。

買収後、ナデラＣＥＯはフィナンシャル・タイムズへのインタビューで、アクティビジョン・ブリザードの買収の背景として、ゲームが事業として脇役ではなく、重要な役割を担ってきていることを話しています。

「メタバースのシステムを構築するということは、本質的にはゲームをつくることと同

じです。物理エンジン（ゲームエンジン）のなかに人や空間、物を配置して、それらすべての人や空間、物が相互作用を起こせるようにすることなのです。近い将来、あなたと私はアバターやホログラムなどを通じて同じ会議室に座り、サラウンドオーディオ環境で会うことになるでしょう。こういうことをずっとやってきたものこそが、ゲームなのです」

メタバースの技術の中核が、ゲーム系の技術が派生する形で発展してきたことを、ナデラ氏は認めています。一方で、マイクロソフトはこれまで独自のゲームエンジンといった汎用度の高いリアルタイム3D環境の自社開発を行ってきませんでした。メタバース時代には、多くの開発者が容易に利用できる独自の開発環境を持つことがプラットフォームにとって有利になります。そのため、中長期的にアクティビジョン・ブリザードが持つゲームエンジン技術を他のビジネス分野へと開放する計画を検討しているのだと考えられます。

マイクロソフトのメタバースに対する認識を把握するうえで、2021年12月にマイクロソフトの創業者ビル・ゲイツ氏が個人ブログで書いていた次の箇所が参考になります。

「近い将来、より大きな変化が起きると思います。バーチャル体験を可能にするソフトウェアの品質が変わらないと考えるべきではありません。イノベーションの加速は、まだ始まったばかりなのです。今後2、3年のうちに、ほとんどのバーチャルミーティングは、

バーチャルミーティングサービスのメッシュ・フォー・マイクロソフトチームズ。

２Ｄのカメラ画像の枠で表示されるものから、デジタルアバターのいる３Ｄ空間であるメタバースに移行すると私は予想しています。フェイスブック（メタ）とマイクロソフトは最近このビジョンを発表し、多くの人がその姿を初めて目にすることになりました」

ゲイツ氏が述べているのは、マイクロソフトが２０２１年11月に発表したバーチャルミーティングサービスの「メッシュ・フォー・マイクロソフトチームズ（Mesh for Microsoft Teams）」のことです。同社は２０１６年の「ホロレンズ（HoloLens）」、２０１９年の「ホロレンズ２（HoloLens 2）」によって、ＡＲハードウェアの分野で大きく先行することになりました。しかし、価格の高さから普及の面で苦戦しています。そこでマイクロソフトは、まず一般的なエンタープライズ向けサービスとして、MR戦略を再編し、メタバース時代に食い込もうとしているようです。

マイクロソフトは2010年代に、かつてのウィンドウズOSを販売しているだけの会社からイメージが大きく変わった企業です。いまやクラウドサービスの提供企業として、その存在感を強めています。実際、いまの業績の中心を占めるのはウィンドウズOSではなく、「アジュール（Azure）」と呼ばれる企業向けのクラウドサービスで、アマゾンの「アマゾンウェブサービス（AWS）」に次ぐ2位の地位を占める最大の稼ぎ頭になっています。また、かつてはパッケージとして販売されていたOfficeも「Microsoft 365」というサブスクリプションサービスとしてクラウド化が進められ、その業績も好調です。コロナ禍によって各企業のデジタル化が進んだことは、マイクロソフトには追い風となっており、大きく業績を伸ばしています。

スマートフォンの分野では、アップルやグーグルに完全に敗北している状況ですが、既存のサービスのクラウド化を進めることでビジネスモデルの転換に成功しています。GAFAMを論じるとき、マイクロソフトを指し示すMが抜けていることがよくあります。しかし、古い企業体質からの劇的な変化に成功し、存在感を取り戻しつつあります。ゲーム事業への投資の拡大は、好調な他事業の業績を受けての戦略的な拡大であると言っていいでしょう。

MRプラットフォーム・メッシュとホロレンズ2

マイクロソフトは2021年3月に「マイクロソフトメッシュ（Microsoft Mesh）」という新しいMRプラットフォームを発表しています。メッシュは、マイクロソフトのMRデバイス「ホロレンズ2」を利用した、ホログラム上で他の人と共同作業をすることができるプラットフォームのことです。マイクロソフトの言うMRとは、メタのARとほぼ違いがないと考えて問題ありません。

この発表のなかでメッシュは、多くの人が空間を共有し、「仕事をより生産的にするためのコラボレーションツール」として位置づけられていました。仮想の会議室に3Dを表示してお互いにそのデータについて議論したり、大きなバーチャル水族館で巨大なマンタを見たり、作業手順を現実世界にCGを重ねることで正確に把握したり、医療の手術中に各種データの確認ができたりといった例が示されています。

発表当時、AIとMR部門のテクニカルフェローだったアレックス・キップマン氏は、「アバターからホログラムを使って出現するような形であっても、まるでその場にいるかのような物理的な実在感を得て、コラボレーションができる」と結論づけていました。

ただ、私にはこのプレゼンテーションが必ずしも強力な説得力を持つようには感じられませんでした。それはデモンストレーションの大半が「ホロレンズ2」によるものだったからです。2019年発売のこの一体型のARハードは、他企業のハードにない先鞭性を持っていますが、大きな弱点を抱えています。価格が普及の障害になっているのです。

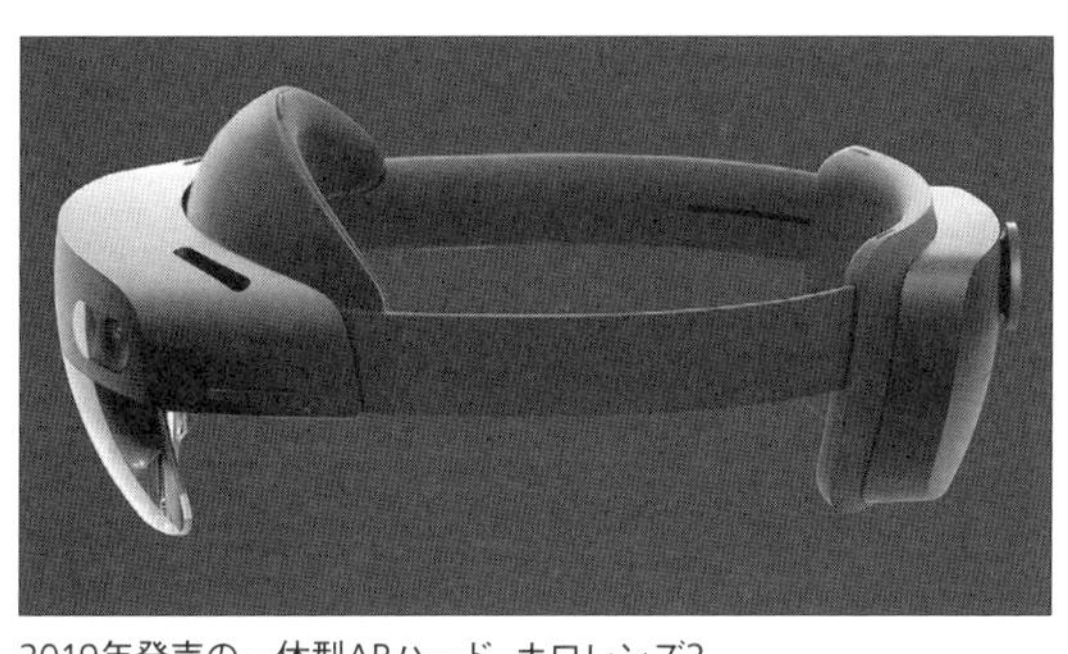
2019年発売の一体型ARハード、ホロレンズ2。

ホロレンズ2の価格は3500ドル（日本での販売価格は約42万円）もします。一体型ということで、スマートフォン向けの当時の最高レベルのチップ（Snapdragon 850）が搭載されていますが、発売が3年前ということもあり、性能的には299ドルで販売されている「クエスト2」とほぼ変わりません。

コストを引き上げている要因は、ディスプレイを低価格化することが難しいという弱点を抱えていることにあります。ホロレンズ2はレーザースキャン導波管ディスプレイ（Laser-Scanned Waveguide Display）という方式を採用しており、特定の波長のレーザーがあたったときにのみ映像が表示される薄い膜を何枚も積み重ねて、半透明のモニターをつくります。コンピュータ映像に合わせてレーザー波を照射することで、モニターに３Ｄの像が表示され、現実世界の座標情報と組み合わせることで、あたかも３ＤＣＧが現実世界に存在するかのように見せる方式です。

しかし、このモニターの製造はまだ難易度が高く、量産が簡単ではないことから、マイクロソフトのみならず、ＡＲデバイス全体のコストがなかなか下がらず、他社からもＡＲグラスの新製品が登場しない要因の一つになっています。

マイクロソフトはエンタープライズ市場を制するか

ホロレンズも、発表時には、個人用のデバイスとして大きくプロモーションしていましたが、現在では完全にハイエンドなエンタープライズ向けの製品という位置づけになっています。そのため、メッシュの発表からは戦略的な混乱が感じられます。一般ユーザーに広げていきたいという本音と、それが現状では限界があることへの葛藤です。

実際に、そのマイクロソフト社内のＭＲの位置づけの迷いが明らかになる報道も続きます。２０１８年にマイクロソフトは、「軍用ホロレンズ」の契約をアメリカ陸軍と行ったと発表をしました。最大で２１９億ドルもの大型契約で、安定的な財源の下、ホロレンズの開発を進めていると考えられていました。ところが、２０２１年10月、米陸軍は導入を１年延期するとの発表を行いました。さらに２０２２年１月にニュースメディア、ブルームバーグが、国防総省が「(システムは)戦闘用ゴーグルとして機能する能力をまだ示していない」と評価をしているという実情を報じました。

さらに、２０２２年２月には、ニュースメディア、ビジネスインサイダーが「ホロレンズ３」の開発が数ヶ月内に中止されたと報じています。マイクロソフトが新しいＭＲデバイスの開発で、サムスンと提携することに合意したとされ、この動きはマイクロソフトのＭＲチームに存在する「分裂を煽(あお)る」ものであったようです。

一方で、マイクロソフトは「メッシュ・フォー・マイクロソフトチームズ」を２０２１年11月に発表しています。これはコラボレーションソフトの「チームズ(Teams)」内で、３Ｄアバターを利用できるようになるというサービスです。２０２２年にプレビュー版が開始される予定です。メタの「ホライズンワークルーム」に近いサービスで、マイクロソフト版の仮想空間会議システムです。チームズはOfficeの統合環境「Microsoft 365」の一つとして提供されているため、世界中にすでに多くの顧客を抱えており、そうしたユーザーへの導入を図ることで、速やかに利用者数を広げられる可能性があります。このサービスは、一般的なスマートフォン、タブレット、ノートＰＣ、ＶＲデバイスからアクセス可能としており、多数のデバイスに対応する予定です。

また、マイクロソフトは、「(このサービスは)『メタバース』と呼ばれる、人、場所、モノのデジタルツインが配置された永続的なデジタル世界への入り口でもあります。メタバースは、新たなバージョンのインターネットあるいは新たなビジョンに基づくインターネットと考えることができます。そこでは1人ひとりがどのデバイスからでも仮想的存在となって集まり、コミュニケーション、コラボレーション、共有を行うことができます」(2021年11月4日付日本語プレスリリース)として、このサービスを現時点でのメタバースの入り口として位置づけています。

ここからわかるように、マイクロソフトはメタバースを、まずはコラボレーションソフトとして、エンタープライズニーズを積極的に取り込んでいくという方針であると考えていいでしょう。その後、ゲームの技術を応用して、より一般のユーザーに向けたものとして提供を始めていくという戦略なのだと思われます。

新型ハードウェアの開発状況

こうなってくると気になるのは、マイクロソフトが一般ユーザー向けの新ハードウェアをいつ投入してくるのかというところでしょう。現在のホロレンズ2が苦戦しているとしても、新型ハードの開発を諦めているとは考えにくいからです。ゲイツ氏はブログのなかでこう書いています。

「最終的にはアバターを使って、実際の部屋にいるような感覚を再現した仮想空間で、人と会うことができるようになるでしょう。そのためには、VRゴーグルやモーションキャプチャーグローブなど、自分の表情や身振り、声の質などを正確にとらえるものが必要です。ほとんどの人はまだこれらのツールを所有していないため、普及はやや遅れるでしょう」

ゲイツ氏はコロナ禍によって、テレワークの普及などを通じてオフィス環境が大きく変わったことについても、「ビデオ会議への急速な変化を可能にした要因の一つは、多くの人がすでにカメラ付きのパソコンや携帯電話を持っていたこと」と、一気に職場環境が変化する前提条件が整っていたことを指摘しています。そのため、「メッシュ・フォー・マイクロソフトチームズ」は、まずはウェブカメラ中心の暫定版となると考えているようです。ただ、ゲイツ氏のビジョンは、メタバースがいずれは世の中に受け入れられ、一般化するという前提で構想されており、専用ハードの登場が予想されている点は注目すべきでしょう。

さらに、2022年1月4日のCES2022にて、マイクロソフトは、マイクロソフトメッシュとチップメーカーの米クアルコムのXR用に開発されている専用半導体「Snapdragon Spaces XR」の両方のプラットフォームの統合を進めると発表しました。「電力効率が高く軽量なARグラス」向けのARチップの共同開発を行うとしています。すでにホロレンズ2ではクアルコムのチップが採用されており、クエスト2のチップも同社のものです。XRの一体型ハードではクアルコムは独自の地位を築きつつあります。

ゲイツ氏のブログには、「今年（2021年）の初めに3Dアバターを試してみて、とても楽しかったです」というキャプションとともに、ゲイツ氏がクエスト2を被っている写真が添付されていました。非常に意味深です。おそらく、2021年後半には別の社内開発のプロトタイプで試していたのではないでしょうか。

もっとも、マイクロソフトの新型MRデバイスの登場は、最短でも2023年になるでしょう。そして、マイクロソフトはメッシュ・フォー・マイクロソフトチームズの、Xboxのサービスとの統合を検討しているはずです。先ほども触れたように、マイクロソフトの考えるメタバースは、同社が持っているさまざまなサービスを、リアルタイム3Dを使って統合する環境を整備していくものであると考えられます。エンタープライズ市場での成功後に、一般ユーザーも含めた他のサービスへと広げていくのは自然な流れであると言えます。

グーグルが再び動き始めた

グーグルとアップルも、ARグラスの開発を進めているとの噂が絶えません。メタの莫大な投資により、この分野が一時的なブームで終わるのではなく、新しい事業分野となる可能性が見え始め、実際に活発な動きが起こっています。

グーグルは2013年に「グーグルグラス」を開発者向けに発売後、2015年には販売を終了している状態です。発売された当時、顔認識機能やプライベートな会話を録音することができるなどのプライバシー面への懸念が社会的に広がったことで、販売に苦戦しました。2021年には後継機の「グラス エンタープライズ エディション2」を発売していますが、大きく普及しているという状況ではありません。

一方で、2016年に「デイドリーム（Daydream）」というアンドロイドスマートフォン向けのVRプラットフォームを展開しました。スマートフォンに組み立て式のダンボール器具を組み合わせることで、手軽にVR環境を実現できたため、大きな話題を呼びました。一時は、このダンボールが新聞や雑誌の付録として配布されるといった大規模キャンペーンも行われたほどです。しかし、一般的なスマートフォンの性能ではVRを表示するには限界があったため、VR体験自体はあまり質のよいものではなく、何度も体験したいと感じさせるだけの魅力はありませんでした。そのため、あっという間に廃れてしまいました。

ところが、2022年1月に入り、2024年発売を目指して「プロジェクトアイリス(Project Iris)」という新しいプロジェクトが進められていることが明らかになりました。ザ・ヴァージによると、既存のARメガネよりも没入感のあるMR体験を実現しており、初期のプロトタイプはスキー用のゴーグルに似た外観の、外部用電源への接続を必要としない一体型だそうです。すでに300人あまりがこのプロジェクトに関わっており、さらに数百人を採用する予定があるとのことです。

ただ、どのように市場に投入するのかという戦略は定まっておらず、グーグルのなかでの位置づけは、まだ曖昧（あいまい）である可能性があります。

単発の技術やアプリをどうまとめ上げるか

グーグルは、技術への投資を通じて、単発の製品やサービスでは目を見張る成功事例を挙げてはいるものの、それらの技術をひとつなぎにし、大きな世界観をつくり出すということはあまり得意ではありません。

成功しているアプリとしては、VR分野では「ユーチューブVR(YouTube VR)」がキラーコンテンツの一つです。360度映像や、180度映像にしても、3D立体動画を見るためのプラットフォームとしては、最も有力な存在であることは間違いありません。また、「グーグルアースVR(Google Earth VR)」が提供する体験も強力で、3D化された主要都市や観光地などの場所を、VRで見る没入感は類例がない圧倒的な優位性を誇ります。

また、VR用のお絵かきソフトとして大きな評価を集めた「チルトブラシ(Tilt Brush)」を開発したベンチャー会社を2015年に買収しています。何もない空間に立体的に筆を走らせるだけで絵を描けるVRの体験は、誰もが驚く素晴らしいソフトでした。この買収には、VRやAR空間でのユーザーインターフェースのノウハウの取得という意図があったようです。ところが、オリジナルの開発スタッフがグーグルを離れたことをきっかけに、2021年にはオープンソース化を行い、継続開発を中止しました。

同じように、2017年には3Dモデリングツール「ブロックス(Blocks)」も公開しました。パソコン用VRを使ってVR内で3Dモデリングを行うことができるというツールで、作成したオブジェクトはデータとして出力したり、ウェブに公開して共有したりできるというものでした。四角や三角や丸などの単純な形状のモデルを組み合わせて、複雑なオブジェクトを直感的につくり込むことができるため、3Dモデルの初心者をターゲットにしていました。そして、それらのデータを公開する「ポリィ(Poly)」というプラットフォーム

フォームを展開していたのですが、２０２１年には閉鎖されています。

これらのＶＲに関連するサービスが抱えていた弱点は、ほぼ無料で提供されているため、ビジネスモデルの確立が見えなかった点です。そのため、ＶＲへの期待が後退したときに、一気に多くのサービスが終了してしまうという形になってしまったのです。

グーグルの活路はスマホのＡＲにあり

一方で、２０２２年5月の年次開発者向けイベントのGoogle I/Oの基調講演の最後のパートで、スンダー・ピチャイＣＥＯは、「新たなコンピューティングの領域が待ち構えています」（訳はhttps://youtu.be/nP-nMZpLMIAより）として、ＡＲについて語りました。グーグルはＡＲ分野に重点的に注力しており、すでに多くのスマートフォン用のプロダクトに実際に導入しているとアピールしたのです。

そして、画面に写っているものと類似した商品を検索したり、異言語の表示物を翻訳して画面に表示したりする「グーグルレンズ」や、グーグルマップ上に現実世界の位置情報と組み合わせて自分が向いている方向を明らかにする「ライブビュー」や、グーグルストリートビューと航空写真を組み合わせて３Ｄモデル化を行い、建築物の角度を自由に変えられる「イマーシブビュー」といったものを、展開しているＡＲ機能の例として紹介しま

グーグルの翻訳特化型ARグラスのイメージ画像。右側に表示されている翻訳テキストが、ARグラス内に現れていると考えられる。

した。

「（ARという）魔法が本当に生きてくるのは、テクノロジーに邪魔されることなく実世界で使えるようになるときです。その可能性こそが（AR）拡張機能に最も期待し（ていることで）、実世界や実生活の中で重要なことに時間を使えるようになります。現実の世界はとてもすばらしい」（同前）と、ピチャイ氏は述べています。この発言は、暗にメタのVR空間を前提としているメタバースを批判しているようにも感じられます。

そしてグーグルは、異言語で会話している人の会話を、リアルタイムに翻訳し、それを画面に文章として表示するなど、機能を絞り込んだARグラスのプロトタイプを発表しました。異言語間の円滑なコミュニケーションを促進したり、聴覚障害のある人を支援したりするためのデバイスとして想定しているようです。このデバイスの具体的な発売時期は明確にはなっていません。

しかし、ここでグーグルが示している世界像は明確です。メタバースのような包括的なサービスを展開することはあまり想定しておらず、要素技術を拡張することを通じて、AR機能を強化していくという方針です。今後も、スマートフォンのアンドロイドOSをコントロールできる強みを活かした戦略をとっていくことが考えられます。

アップルは現実空間の3D化で抜きん出る

アップルの場合はどうでしょうか。2022年1月の決算説明会の際、ティム・クックCEOはメタバースへのアップルの役割を質問されて、「我々はこの分野に大きな可能性を感じており、それに応じた投資をしている」と答えています。あくまでも会見中の質問に対する返答でしたが、クック氏が、メタバースという言葉を直接使わなかった点に注目が集まりました。アップル社内では、メタバースという単語が、禁止ワードになっているという噂も出ています。

その背景には、アップルがこれまで新製品を展開するにあたって、ハードウェアを中心にサービスを広げてきたことが大きいと考えられます。実際、アップルは何らかのソフトウェアサービスを自ら展開して、収益を上げるという方法を積極的に取ってきていません。利益の源泉はハードウェアの販売によるものであり、ソフトはプラットフォーム上で展開する企業により実現されればよいとする考え方です。アプリ経済圏を維持したまま、VRデバイスでも現状のハード中心の戦略を目指していると考えられます。

アップルはiPhoneを代表とするハードウェアの販売で収益を上げるビジネスで、新発売のハードに新しい機能を追加することで、高価格を維持してきました。そのため、まだVRデバイスの発売は始まっていないものの、高付加価値の新ハードが投入される可能性は高いと思われます。

これまでアップルは、iPhone向けの機能として、特にAR機能の充実には、かなりの力を入れてきました。2017年に発表された「ARキット（ARKit）」は、iPhoneのカメラから実空間の特徴点を割り出し、3Dモデルを合成映像として配置することができる機能です。また、前年の2016年には、広角用と望遠用の二つのカメラレンズを持つ「iPhone 7 plus」などの新型モデルで、「ポートレートモード」を搭載しました。

この技術が画期的であったのは、二つのレンズで撮影した画像を合成して、擬似的に背景をぼかしたりすることで、奥行き感を表現することができるという点です。さらに言うならば、2枚の画像の差を解析することで、奥行き情報をつくり出せる、つまり2Dの写真を3Dデータとして扱えるようになったのです。

この仕組みによって、iPhoneを、2D情報を3Dへと変換できる3Dスキャナとして使用することができるようになりました。現在は、特定の空間の動画を撮影すると、そのデータから3Dデータが自動生成されるようにまでなりつつあります。アップルは現実空間を3D化する技術では一歩抜きん出ています。

新しいハードの登場は迫っている

さらに、2020年のiPhone 12 Pro以降のハイエンド製品では、「LiDAR（ライダー）スキャナ」が搭載されるようになりました。LiDARとは「光の検出と測距（Light Detection And Ranging）」を意味します。赤外線を使って赤外線が反射して返ってくるまでの時間を計測することで、奥行きの空間と被写体の三次元の形状を計測する技術です。すでに自動車の自動運転AIで周辺の障害物を認識するために使われるという形で社会に広がりつつあります。それらの技術がスマートフォンに搭載されるようになってきているのです。

対応するiPhone用のアプリとしては、現実空間の画像の上に花のCGを重ねて表示したり、実空間にある家具などのサイズを計測したり、対象となるオブジェクトをスキャンして3Dデータへと変換するアプリなどが登場しています。ARやMRを高い精度で実現するために使われています。

また、LiDARを使った3Dスキャン技術も画期的です。対応アプリを使って、自動車の周りをぐるぐると回りながら画像を撮影すると、その画像から自動的に3Dデータが作成され、自動車をデジタルデータとして扱えるようになります。撮影から3D化までに必要な時間は3分程度という手軽さです。撮影したデータは、3Dのカタログとして表示することもできますし、VRでそのデータを見ると3Dの立体物になります。

LiDARを使った3Dスキャン機能の例。アプリ「Scaniverse」を使用して、筆者がソーセージを撮影。

この技術が登場する前は、何十枚という写真を撮影したのちに、それらを性能の高いサーバにアップロードして解析し、3Dデータをつくり出すといった専門知識が要求される複雑な手順が必要でした。しかし、それがiPhoneを1台用意するだけで撮影からデータ作成までができるほど、一気に簡素化されたのです。

自分が宿泊したビジネスホテルの部屋から、近所の街並み、はてはレストランの食事まで、何でも3D化することが可能です。すでに建築分野では、現場の把握と正確な測量を目的として広がりつつあります。考古学の分野でも手軽に現地の環境を3D化して記録に残すことができるというメリットから利用されています。また、次章で紹介するVRSNSサービスの「VRチャット」に史跡などの3Dスキャンデータをアップロードして、VR観光ができる場として楽しむ、といった事例も登場しつつあります。

これらのノウハウは、そのままVR・ARデバイスのデジタルツインを実現する基盤技術になります。さらには、メタバースでコマースが一般化していくうえで、有力なツールとして広がっていくことが予想されます。

アップルはいよいよ2023年に、VR・ARデバイスを発売するようです。クック氏は、2020年1月のイベントの最中に「私はARに興奮しています」と発言、「私の考えでは、これは次の大きな出来事であり、私たちの生活全体に浸透していくものです」と述べています。

さらに2021年4月のニューヨーク・タイムズのインタビューでは「ARは友人、同僚、家族とのコミュニケーションのあり方を変えるでしょう。健康、教育、ゲーム、小売などの分野でのコミュニケーションを再構築するでしょう」とも述べています。

どちらも、ARデバイスについての発言ではありませんが、それでもデバイスを将来的に発売することを匂わせる発言としてみることができます。そして、VRについては言及していません。つまり、アップルはVRデバイスを開発しながらも、最初からARデバイスのほうに力点が置かれていたと読み取ることもできるのです。

しかし、そのスペックや発売時期については、噂が登場するたびに変化するため、実際のところは明確ではありません。開発チームは2000人に及び、すでに7年間も開発が続いているとも言われています。

2022年1月に有力なアップルの情報サイトで報じられたものとしては、同年末の発売を想定しており、価格は2000ドル以上になるとされていました。ノートパソコンのMacBook Pro並みのハイエンドの性能を持ち、4Kモニターを搭載するなど革新的な技術が使われるとも言われています。それらの機能で実現されるのは、メタのプロジェクト・カンブリアと同様のカラーパススルー機能によって実現されるAR機能のようです。

ただ、結果的に2022年の発表は先送りにされており、発表と販売は2023年になると考えられています。いずれにしても登場当初の販売台数は限定的になるとされ、一般への本格的な販売が始まるのは、2023年の中盤以降になるだろうとも予測されています。

ハード中心のしたたかな戦略

スマートフォン向けのアプリとして、独自のメタバースサービスを展開している成功例は、すでにいくつも登場しています。

例えば、韓国SNOWの「ゼペット（ZEPETO）」というアプリは、カメラ画像から、リアルタイムに3Dアバターを作成するためのアプリとして登場しました。しかし、現在ではワールドという機能を持つように拡張され、アバター同士の交流が可能になっています。スマホ上で実現するメタバースといってもよいでしょう。

中国、韓国で人気で、2・9億人もの登録ユーザーを集めており、キャラクターを着飾るバーチャルファッショングッズの販売も積極的に行われています。やはり、UGC用のツール機能があり、それらの服はユーザーも自由に制作が可能で、すでに16億点以上が販売されています。大きく販売に成功したユーザーのなかには、数千万円を稼ぎ出すことに成功した人もいるとされており、すでに一定規模の経済圏を生み出しています。

アップルのプラットフォーム上にこうしたメタバースサービスがいくつも登場している以上、独自のメタバースサービスを自ら展開するのではなく、そこで取引が発生した際に、プラットフォーム手数料として売上の3割を得て利益を出すという方針はありえるものでしょう。アップルはARキットなど、基盤となる技術は積極的に提供していますが、それを他社と競合するようなサービスに育てることは慎重に避けているように見えます。

実際に、2018年にリリースされた「ミー文字」は、iPhoneのカメラ情報を、ディフォルメされた動物の顔のアバターや、自分で作成できるカスタムアバターの表情に反映させ、それを録画してメッセージとして送信できる機能が追加されました。リアルタイムに表情を捉える機能は非常に優秀で、その技術は顔の表情を捉えるための基本機能として、現在ではさまざまなソフトに応用されています。エピックゲームズは、これをアンリアルエンジンと統合し、iPhoneのカメラを利用して、映画などの役者の表情を捉える高性能なモーションキャプチャー用のツールを無料で公開しているほどです。

しかし、アップルが自ら提供しているアプリ内では、メッセージ機能やビデオ通話機能以外では基本的に使うことができません。独自に複数人向けのチャットシステムを展開することもなく、それらを開発するのは他の企業が用意するアプリに任せたのです。実際に、

「ゼペット」も顔の表情をリアルタイムに表示したり、自分のアバターを現実空間に合成したりする機能に、ＡＲキットの機能を利用しています。

そのため、アップルはＶＲ・ＡＲハードを出す場合にも、基本技術の部分までは整備するものの、メタバースサービスを独自に展開することはないのではないかと予想します。ただ、既存スマホ向けのメタバースを展開して成功している企業と連携する形で参入してくる可能性は十分にあると考えられます。例えば、ＶＲ・ＡＲデバイスの発売に合わせて「ゼペットＶＲ」の展開を支援するということはありえるでしょう。

ただし、ＶＲ・ＡＲハードの位置づけによっては、発売当初の大きな成功は難しいとは予想できます。高価格帯で発売されるならば、必然的に企業向けとなり、自ずと普及台数に限界があるからです。これまでのアップルの製品は最初に発売されてから、二世代、三世代と世代交代を進める中で、ハードとして熟れた製品になっていくというプロセスをたどっています。iPhoneや「アップルウォッチ」などがまさにそうです。ＶＲ・ＡＲハードに関しても、一般の人にとってどれだけ魅力的な製品にできるかが、最初の注目点になってくるでしょう。

基盤環境の整備に失敗したアマゾン

ＧＡＦＡＭのなかで、メタバースに対して、明確な動きを見せていないのが、アマゾンです。

アマゾンはメタバースの基盤技術となるゲーム分野に２０１４年頃から、独自のゲーム制作会社を設立し積極投資を続けてきたのですが、まだ大きな成果を生み出せてはいません。２０１６年には３本のゲームを開発すると発表していますが、結局、発売までたどり着けずに開発中止となったゲームが多い、という状況です。

アマゾンは、２０１４年に世界最大のゲームライブプラットフォームの「ツイッチ（Twitch）」を９億７０００万ドルで買収しています。ゲームを遊んでいる姿をストリーマーが実況配信をするプラットフォームはいまだに人気が高く、２０２１年の月間アクティブユーザー数は１億４０００万人を維持していますが、買収後もツイッチはアマゾンが開発したゲームを優先することに消極的だったと言われています。

開発したゲームは、アマゾンの定額サービスの「アマゾンプライム」の会員に無料でプレイできるようにすることが検討されていたようです。それにより、会員増を図るというのが大きな目的となっていました。Xboxゲームパスと同様に、定額で他社のタイトルを含むさまざまなゲームが遊べるという仕組みを用意していましたが、有力なゲーム会社の協力を得られなかったため、計画はあまり成功していません。

また、アマゾンは2018年には、VRの基盤技術となる「アマゾンシューメリアン(Amazon Sumerian)」をリリースしています。これはウェブ上で完結するサービスで、誰でも簡単にVR空間をつくり出せるというのが売りでした。すべてのデータがウェブ上でVR化できるため、複雑なソフトウェアを使うことなしに、誰もがVR空間をわずか数分でつくれるという触れ込みです。このVR空間はスマートフォンでも表示することができるので、VR空間でeコマースを行うためのツールとしての広がりを狙っていたようですが、期待したほどはユーザーを集められず、有力なユースケースは登場していません。

クラウドゲーミングに可能性を探る

一方で、アマゾンの強みは圧倒的なクラウドコンピューティングサービス(アマゾンウェブサービス・AWS)にあります。2021年第4四半期の段階で全世界の33%のシェアを持っており、伸びているマイクロソフトの21%、グーグルの10%と比べても、その差を保ち続けています。売上で見ると、アマゾンはAWSだけで、この10年で10倍近く増加しています。メタバースサービスは大量のデータの処理が必要になってくるため、その裏側の基盤はAWSを利用していることも少なくありません。

じつは、ＰＳ５やXboxのような家庭用ゲーム機中心のハードウェアの時代はまもなく終わりを迎えるだろうと考えられています。今後、ゲームソフト全体が「クラウドゲーミング」に移行が進むとみられているからです。ユーザーが所有するゲーム機やパソコンで、ゲーム中の処理をするのではなく、クラウドサーバ側ですべての処理をして、その結果をストリーミング映像としてユーザーが見ているモニターに配信するという仕組みです。このメリットは高い処理能力を必要とする凝った複雑な３ＤＣＧであっても、高性能なサーバ群で構築されたクラウドにとっては大した計算量ではないという点です。

アマゾンは、これを２０２０年に「アマゾンルナ（Amazon Luna）」という名称で、すでに発売されているゲーム限定ですが、月額6～15ドルという定額でアメリカにてサービスを開始しています。クラウドゲーミングにはハードを選ばないという特徴があり、スマートＴＶ、モバイル、パソコンなど、さまざまな端末でプレイすることが可能です。同様のサービスは、ソニー、マイクロソフト、グーグルなどの企業も展開し始めており、今後、ネットフリックスが独自ゲームを開発して参入するとも言われています。ただ、まだどこも大きな成功を手にすることはできていません。

よく挙げられる弱点としては、ユーザーがゲームを行っている間、サーバでの処理コストが常に掛かり続けるという点があります。ただ、クラウドコンピューティングでトップシェアをもつアマゾンの場合は、むしろ他社に比べて社内費用を安価にできるため、有利な点と言えます。

また、さらに大きな弱点が、クラウドゲーミング特有の遅延です。ユーザーがコントローラーに入力をした結果がインターネットを通じてサーバに送られ、それが処理されて画像データとしてユーザーのモニターに戻ってくるまでには、コンマ数秒ながら遅延が起ります。ユーザーのインターネット環境にも影響を受けてしまうのです。それが一瞬の操作が勝敗に関わるゲームを快適にプレイしにくくしてしまいます。これは手元にゲーム機がある場合とは大きく異なる点です。

ただ、あまり即時かつ緻密なレスポンスを求められないメタバースの場合には、クラウドゲーミングの仕組みは向いている可能性があります。

アマゾンとメタの最強タッグ

実際、クラウドゲーミングがメタバースの主戦場になる兆候は出始めています。

２０２２年2月にスタートアップの仏シャドウ（Shadow）は、展開するクラウドゲーミングサービスをＶＲに適応させた「シャドウＶＲ（Shadow VR）」として、クエストとクエスト2向けに開始しました。

これは、パソコン用のＶＲゲームをクラウドゲーミングを利用して、クエストやクエスト2といったスペックの低い一体型ＶＲデバイスでも遊ぶことができるようにするサービスです。月15ドル、30ドルと差をつけた価格設定で提供されており、値段が高いほど映像がきれいな画面で遊ぶことができます。「ビートセイバー」のような繊細なタイミングを要求するゲームでは少し遅延が気になるようですが、ゲームのプレイは十分にできる品質のようです。クエストとＰＣＶＲでは同じゲームでも、グラフィックスの豪華さがまったく違います。ハイエンドなパソコンを手元に持たないユーザーが、ＰＣＶＲを体験するための選択肢となる可能性が出てきています。

じつは、２０１９年にメタはスペインのプレイギガ（PlayGiga）というクラウドゲーミング企業を７８００万ドルで買収しており、その技術は「オキュラスエアーリンク」に応用されていると考えられます。これは同一の無線ＬＡＮ上に存在するパソコンの画面を、クエスト2にストリーミングで表示する技術で、自宅などのローカル環境であれば、無線接続でＰＣＶＲを楽しめるようになります。ＶＲのクラウドゲーミングの研究開発は、メタも当然進めていると考えるべきでしょう。

そもそも、一体型のＶＲ・ＡＲハードの性能を高めていくことには限界があります。搭載する半導体の性能を引き上げるということは、それだけバッテリーを消費することにつながるため、実働時間を伸ばすには、より大きなバッテリーを搭載する必要が出てきます。バッテリーの小型化も技術的にハードルが高いとされており、性能とのバランスが常に課題となっています。つまり、薄く、軽くというＶＲ・ＡＲデバイスが、メガネと同じぐらい軽量化されるためには、クラウドゲーミングを避けては通れないのです。

２０２１年12月、メタはアマゾンを「長期戦略的クラウドプロバイダー」に選定したと発表しています。メタは巨大なデータセンターを世界中に12ヶ所も持っているため、これまでＡＷＳは補完的な使い方となっていました。それを全体的に使えるように切り替えるということのようです。今後は、特にメタが開発したＡＩの基盤をＡＷＳで動かせるようにするといった研究開発用途や、買収した企業がＡＷＳを使っていた場合にそのまま利用できるようにするということが想定されています。

メタは、自社で新しいデータセンターをつくり続けるよりも、さらに大きな規模を持つアマゾンと組むことを選びました。この2社の提携は、今後、クラウドゲーミングへのシフトが始まったときに、大きな意味を持ち始める可能性があります。

アマゾンはいまのところメタバースサービスを自ら開始するような動きは見せていません。しかし、データセンターなどのバックエンド技術を介して、現状の強みを活かそうとしています。

ソニーはメタバースを活かすことができるか

家庭用ゲーム機の分野でマイクロソフトに、正面から挑まれているソニーについても少し紹介しておきます。ソニーは、2022年5月の経営方針説明会のなかで、次の成長領域として「メタバース」を挙げました。ソニーのメタバースは「感動体験」を創出する場として位置づけられているところに特徴があります。

吉田憲一郎社長は、ネットワーク空間の体験が進化し続けており、「いまでは、時間と空間を共有するソーシャルでインタラクティブな体験に広がりつつある。ライブ空間で人と人をつなぐ技術がリアルタイムのCGレンダリングを中心とするゲーム技術です」と述べ、その結果としてゲーム技術を中心に、ゲーム、映画、音楽といったジャンルが交わるようになってきたとしました。

そして、フォートナイトを例に挙げながら、ゲームはプレイするだけでなく、「時間と空間を共有するソーシャルな場へと進化した」と説明しました。ゲーム内でコンサートが行われるようになり、「音楽アーティストによっても新しい表現の場となり、ゲーム以外のIP（知的財産権）の価値を高める場にもなっている」とも述べています。

ソニーは2022年2月にゲーム開発会社の米バンジーを36億ドルで買収することを発表しました。ソニーが買収を決めた要因には一つのゲームを長期にわたって運営し続ける

「ライブサービス」を展開するノウハウを持っているためとしています。バンジーはもともとマイクロソフトの傘下であった開発会社で、「ヘイロー」シリーズなどの人気ゲームを開発してきました。その後、2007年に独立し、アクティビジョン・ブリザードと契約。大人数でのマルチプレイとRPGを組み合わせたシューティングゲーム「ディスティニー」（2014年）、「デスティニー2」（2017年）を開発しました。現在でも、ディスティニー2は、基本プレイ無料のアイテム課金型モデルで運営が続けられており、新しい追加マップなどの新規コンテンツが定期的に投入されていることもあり、高い人気を誇り続けています。

吉田氏は、バンジーのタイトルを「クリエイターだけでゲームをつくり上げるのではなく、ユーザーからのフィードバックによる学びを活かし、継続的に物語を進化させ、終わりのないゲーム世界を実現しています。バンジーからライブサービスを学びたいと考えています」と評しています。そして、ソニーが傘下に持つ有力な内製のゲーム開発スタジオとしても「2025年までに10タイトル以上のライブサービスを展開していく」との予定を明らかにしました。まずは終わりのないゲームサービスが、ソニーの考えるメタバース像の基本であると考えていいでしょう。

また、吉田氏は、時間と空間を共有するライブとして「音楽」を挙げ、ゲーム空間のなかですでにソニー・ミュージックのアーティストが多くのライブパフォーマンスを実施していることをアピールしました。例えば、人気アーティストの米津玄師氏が、2020年にフォートナイト内でのライブを実施していることが紹介されています。ゲーム技術を使う「歌者のマディソン・ビアーによるバーチャルコンサートや、(現実で撮影した画像をCGへと転換する技術である)ボリュメトリックキャプチャ技術を活用した仮想空間プロジェクトなどアーティストとユーザーをつなぐ新たなライブ体験を実現するための取り組みを進めている」とのことです。

また、2023年前半の発売が予想されている次世代VRデバイス「プレイステーションVR2(PSVR2)」を、「VRは現実空間にいる人が仮想空間に入り込むライブネットワーク空間でのキーデバイス」とも位置づけています。PSVR2は「プレイステーション5(PS5)」にケーブルで接続して使用する方式ですが、ゲーム用パソコン並のPS5の計算能力を使って、美しい画面を表現できる強みがあります。

ハード性能も、初代に比べて4倍以上となる解像度なども向上。視線の動きを検出して、視野の中心だけを高解像度で描写する技術などの新しい機能も入っています。人気シリーズ「ホライゾン」のVR版「ホライゾン コール・オブ・ザ・マウンテン(Horizon Call of the Mountain)」の発表などが行われていますが、まだ、ゲームタイトルにのみ注力しているようで、複数人とのライブネットワーク空間の予定は発表されていません。しかし、今後登場してくることは間違いないでしょう。

ソニーはクリエイターとユーザがつながる「ライブネットワーク空間」をメタバースだと考えているようです。ただ、現時点では、既存のゲームサービスに近い枠組みであり、クリエイター経済など、ユーザー自身がクリエイターになり、収益を生み出すことも認めるようなプラットフォーム展開は、まだ前提としていないように見えます。

家庭用ゲーム機としては2020年に発売されたPS5は2022年3月時点で1900万台と「Xboxシリーズ X／S」の1400万台を大きく上回るペースで売れています。しかし、サブスクリプションサービスの「プレイステーションプラス」は、6月にマイクロソフトの「ゲームパス」に対抗する形でサービス内容に大幅な変更が行われたものの、旧作は自由に遊べる一方で、最新作は遊べないなどサービス面では魅力に劣ります。両者のこのゲーム機世代での競争は熾烈さを増していくでしょう。

ソニーにとっても、メタバースは他社との差別化を実現しつつ、ユーザーをひきつける魅力を生み出す重要な鍵を握る存在になろうとしています。

第5章　新興企業に勝ち目はあるか

――ナイアンティック、ザ・サンドボックス、VRチャット

VRメタバースはディストピアか

この章では、新興勢力として登場しているメタバースを扱います。AR技術中心のメタバースをつくろうとしている「ポケモンGO」で知られるナイアンティック、ブロックチェーン技術を中核に据えて展開する「ザ・サンドボックス（The Sandbox）」、VRSNSの先駆けとして成長を続ける「VRチャット（VRChat）」の実情を紹介します。

ナイアンティック創業者兼CEOのジョン・ハンケ氏は、「メタバースはディストピアの悪夢」と述べているように、VRデバイスで仮想空間にアクセスするタイプのメタバースに対する強烈な批判で知られています。ナイアンティックは、2010年にグーグルの社内スタートアップとして設立され、2012年にグーグルマップの機能を使ったスマートフォン向け位置ゲーム「イングレス」のリリースによって有名になりました。2015年にグーグルから独立し、2016年に「ポケモンGO」をリリース。記録的な大ヒットとなったことで世界的ゲーム会社へと躍り出ました。

ポケモンGOはプレイしたことがある人も多いかもしれませんが、GPSの位置情報を利用して現実世界を歩き回り、さまざまな場所に存在するポケモンをスマートフォンを使って収集・育成しながら、各地の他プレイヤーと対戦して楽しむゲームです。ARによって、任天堂の人気ゲーム「ポケットモンスター」を現実の世界を舞台にプレイできることから、大人気となりました。

ポケモンＧＯは、ＧＰＳなどで取得した位置情報に情報を紐づけて表示させるロケーションベース型ＡＲに分類されます。現在のＡＲアプリ市場は、まだ本格的に普及したＡＲデバイスが存在していないため、スマートフォン向けの位置情報を利用したゲームか、カメラ機能を利用して写っているものに３Ｄモデルを合成して人の顔を加工するものがほとんどです。そうしたアプリのなかで、ポケモンＧＯは突出した売上を出しているため、ＡＲアプリの市場シェアの大半を占めているという状態にあります。

月間利用者数はゲームリリース直後は１００万人に達していましたが、現在は30万～40万人程度で横ばい状態が続いています。しかし、継続して遊ぶヘビーユーザーが４割近いと見られており、安定的な人気を獲得しています。調査会社センサータワーによると、リリースから5年間での全世界での総売上高は50億ドルに達しています。

ゲームそのものは無料で遊ぶことができますが、アイテム課金方式をとっています。ゲームを有利に進めるために販売されているゲーム内アイテムや、限定のポケモンをゲットするために必要なイベントへの参加チケットの販売などを通じて売上をあげています。５本しかない年間売上が10億ドルを超えるスマートフォン向けゲームのうちの一つであり、コロナ禍でも安定的な売上を維持しています。

そのようなＡＲゲームを主力事業とする同社のハンケ氏が、没入型メタバースを批判すると同時に、ＡＲグラスの開発に投資を開始したことを明らかにしたのが、２０２１年８月のことです。ハンケ氏は同社のブログのなかで、映画「レディ・プレイヤー１」のように人類が現実を捨て、没入型ＶＲの世界に入り込んでいる姿を、「間違った方向に進んだディストピア的な未来への警告」と表現しました。

「社会として、ＳＦヒーローが仮想の世界に逃避するような世界にならないことを願うことも、そうならないように努力することもできます。ナイアンティックは後者を選びます。私たちは、テクノロジーを使ってＡＲの『現実』に寄り添うことができると信じています。私たち自身を含めたすべての人々が立ち上がり、外を歩き、周囲の人々や世界とつながることを奨励します」（ナイアンティック公式日本語ブログ。以下同）

そしてナイアンティックは、いかにテクノロジーが他の人とのつながりを促してくれるかという視点で考えているのだと述べるのです。

「もしもテクノロジーが私たちをより良くしてくれるとしたら？　それは、私たちをソファから引き剝がし、夕方の散歩や土曜日の公園に出かけるように促すことができる？　友だち外に出て、顔を合わせることもなかった近隣の人たちとつながることができる？　友だちに電話したり、家族と予定を合わせたり、新しい友だちに出会ったりする理由につながる？　身の回りにあるのに見落としてしまっている魅力や歴史、美しさを発見することにつながる？」

ハンケ氏は、これらを実現する技術を「現実の世界（アトム）とデジタルの世界（ビット）をつなぐテクノロジー」と呼び、「現実世界のメタバース（the real-world metaverse）」と名づけます。ナイアンティックの世界観では、実世界を豊かにし、他者とのコミュニケーションを促進するような在り方こそ、人間にとって適切なメタバースの姿だと考えているようです。

リアルワールドメタバースの可能性

ナイアンティックは、リアルワールドメタバースの構築のために、独自のＡＲ技術「ナイアンティックライトシップ（Niantic Lightship）」の開発とその展開を進めており、２０２２年５月には「ライトシップＶＰＳ（Lightship VPS、ビジュアルポジショニングシステム）」というＡＲ向けの技術を発表しました。

この技術は、スマートフォンを通じて、ユーザーの現在の位置と向きをリアルタイムに判断し、ＡＲコンテンツをセンチメートル単位の精度で固定することで、世界規模のリアルな没入型ＡＲを実現させるものです。東京、サンフランシスコ、ロンドン、ロサンゼルス、ニューヨーク、シアトルの3万以上の場所がVPSを使うことができるスポットして先行して公開されています。これらの場所では、直径10メートルほどで構成される特定のスポットをスマートフォンのカメラを使って、正確に認識することができるため、その空間に合わせたARコンテンツを高精度で表示することが可能になります。

グーグルも同様のVPSを展開しているのですが、グーグルの場合は、都市のすべての場所をデータ化してカメラが撮影している場所がどこであるのかを指し示す仕組みになっているのに対して、ナイアンティックのVPSは特定のスポットだけを集中的にデータ化しています。デモでは、女性がスマホを持って街中にある歴史的なモニュメントに近づくと、その空間情報を認識して画面内にトランプのカードが表示されるようになっていました。ARゲームとして、実際の空間を利用した宝探しなどの用途が想定されているように思われます。

日本企業からは、集英社がデモコンテンツの作成企業として参加しています。デモでは、道路に配置された地図看板にスマホを向けると、マンガ「ワンピース」のキャラクターであるチョッパーが道路から現れます。現実には存在しないはずのチョッパーが周りの空間に合わせて動き回り、集英社の社屋の前で人間と一緒に写真に写る、といったコンテンツが示されていました。

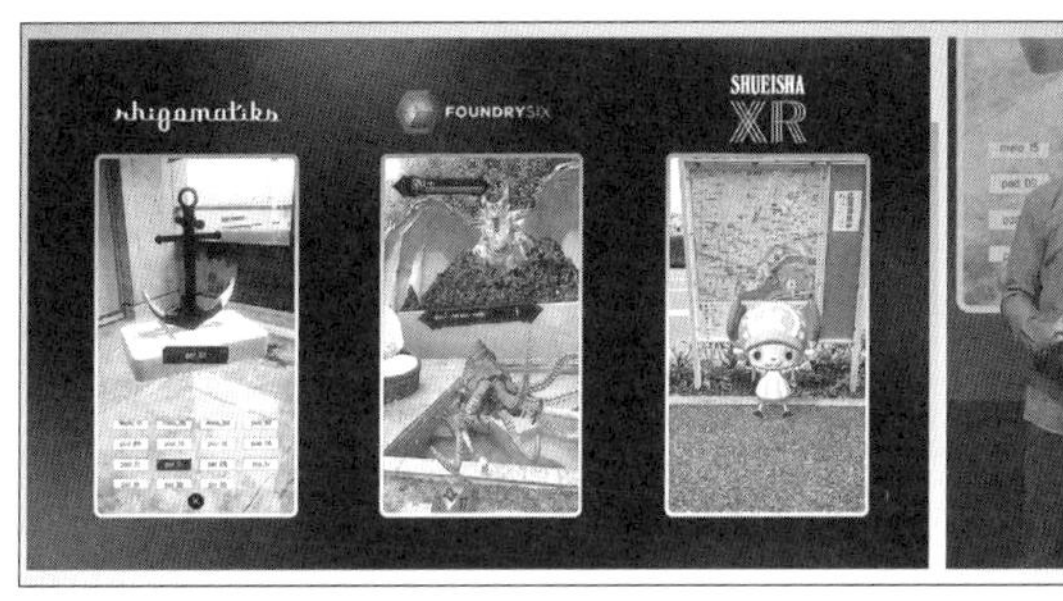

ナイアンティックライトシップについて説明しているジョン・ハンケ氏。

日本のAR企業であるアップフロンティアは、実際にVPSを使ったデモ動画を公開しています。「AR×インスタレーション──表参道　未来都市」という動画は、現実の表参道にスマホを向けると、そこにオーバーラップして何枚もの虹色の看板が表示され、空には宇宙船が浮かび、浮遊する自動車が交差点を通過していくという内容です。リアルタイムで表示されているCGが完全に現実世界の座標情報と一致しているので、実際に存在しているかのように見えます。

あるいは、あるミュージシャンのAR広告では、2台のスマートフォンを使うことで、新しい表現を実現しています。1台のスマートフォンで音楽配信サービスのスポティファイ（Spotify）で広告に使う曲をかけ、もう1台のスマートフォンでその様子を画面に映すと、広告が始まります。1台目のスマートフォンの画面が突然壊れて、そこから歌手の3Dモデルが飛び出してきて、曲に合わせてダンスを披露します。

イタリアの自動車メーカー、フィアットのピックアップトラップのAR広告では、実物大の自動車を現実世界の映像に重ねて表示することが可能です。そのため、自宅の駐車場でこの広告を利用すれば、どういう形で駐車することになるかを事前に確認することができます。

ハードウェアの開発に乗り出したナイアンティック

ナイアンティックは、それぞれのコンテンツを「リアリティチャンネル」と呼んでいます。チャンネルを切り替えるようにポケモンだけでなく、「マリオ、トランスフォーマー、マーベルのスーパーヒーローの世界」などの別世界が簡単に楽しめるようになる、というわけです。

具体的な参加企業としては名前を挙げていませんが、同社は任天堂とのつながりの深い企業でもあります。「ライトシップ」を使った任天堂に関連するリアリティチャンネルがつくり出される可能性も、将来的には十分あり得ると考えられます。

ハンケ氏は「ゲームとエンターテインメントがこの新しいプラットフォームの主要な推進力になると考えてはいますが、リアリティチャンネルは世界を見る方法であり、組立ラインや建設現場から最も複雑な知識作業まで、私たちを楽しませたり、教育したり、案内したり、説明したり、支援したり、私たちが現実に行っている活動を後押ししてくれます」と、ゲーム以外の分野での応用も可能だと説明しています。

ここでもハンケ氏は、暗にメタの方針を批判しているようには見えますが、ナイアンティックが目指している方向は程度の差はあれ、メタの戦略と大きな違いがあるようには思えません。多くの企業が、ARデバイスが次のインターネットデバイスの中核になるという可能性を感じ始めているのです。事実、ナイアンティックは独自のメガネ型のARグラスの開発にも乗り出しています。

ハードウェア開発は、ソフトウェア開発に比べ、量産化のためのコストが非常にかかるため、いままでハードウェア開発を行ったことがなかったナイアンティックが、どの程度の規模で開発を実現できるかは注目すべき点です。現時点では、チップメーカーのクアルコムのパートナーとなり「ナイアンティックの地図を使って物理的な世界の上に情報や仮想世界をレンダリングすることができる、屋外対応のARグラスの参照設計図に投資」したことが明らかとなっています。

また「多くのパートナーが互換性のあるメガネを作成し、配布することができ」「現実世界に重ね合わせることができる未来の世界を想像している」とも述べられています。今後、ナイアンティックが開発するＡＲグラスは、標準的な技術として公開され、多くの企業が互換性のあるＡＲデバイスの開発を可能にするというビジョンのようです。

ブログのなかでハンケ氏は、将来的に実現される「ポケモンＧＯ」では、ＡＲグラスを通して世界を見ると「ポケモンが近所の公園を歩き回り、現実世界に生息しているかのように見えます。この未来のバージョンでは、ポケモンはあたかも本当にそこにいるかのように現れ、歩行者を追い越したり、公園のベンチの後ろに隠れたり、皆さんのお気に入りの公園で群れになって歩き回ったりします」と語っています。

まだ初期型のプロトタイプの研究開発が始まったばかりで、開発には何年もかかるとされていますが、ゲーム開発会社だったナイアンティックが、ＡＲデバイスの開発に乗り出したことで、ＡＲ分野の競争は激しさを増していくはずです。

メタバースとブロックチェーン

メタバースに関する注目すべき動きとしては、ブロックチェーン技術をサービスの中核として位置づけるプラットフォームが複数登場していることも見逃せません。

ブロックチェーン技術が使われたテクノロジーとしては、２００９年に登場した「ビットコイン」が有名です。しかし、みなさんもご存知のように、ビットコインには通貨としての機能しかありません。２０１３年に登場した「イーサリアム」は、通貨の機能にリンクさせて別の規格を定義できる仕組みを持っており、そこからさまざまな拡張規格が生まれています。なかでも重要な影響を持つことになったのが、２０１８年に制定された標準規格「ERC-721」です。

「ERC-721」は、個々のデータを、他にはないユニークなデータとして、ブロックチェーン上で流通させることを可能にする規格です。これによって、ＮＦＴ（Non-Fungible Token・非代替性トークン）という新しいデータフォーマットを組み込めるようになったのです。

ＮＦＴは特性として、ビットコインなどの通貨と違って、分割して小さくしたりすることができないため、証券のような金融商品とは違うという理解が広がりました。使い道はさまざまです。ＮＦＴ化することで、デジタルカードに代表されるコレクターズアイテム、デジタルアート、仮想の不動産の情報、ゲーム内のアイテムといったものを、デジタルな情報にもかかわらず、世界で唯一のものとして存在させることが可能となります。

同時に、これらはＮＦＴの発行者の意思に関係なく、自由に交換することができます。有力な交換所であるオープンシー（OpenSea）では、出品時に２・５％の手数料を取られるものの、売り買い自体は驚くほど簡単にできます。

こうしたＮＦＴを中心とした新しいテクノロジーからなるインターネットのあり方を「Web3」と呼んだりもします。「Web2.0」の時代には、プラットフォームがすべてのデータを管理していました。しかし、Web3では特定のプラットフォームで発行されたＮＦＴであっても、そのプラットフォームが関与しない外部の取引所で取引することができます。プラットフォームからの独立性が担保されている、ということです。そして、このＮＦＴはイーサリアムと連携していることから、いつでも暗号資産や、さらには現金へと換金することが可能です。

先に述べたように、セカンドライフの時代の仮想通貨リンデンドルは、すべて運営元のリンデンラボが管理しており、ドルとの交換市場のレートもリンデンラボが自由に改変できる、というユーザーにとって不利な状況にありました。つまり、仮想通貨への信頼が高いとまでは言い切れなかったのです。ところが、ブロックチェーンやＮＦＴであれば、運営元企業から独立して流通させることが可能です。社会的なニーズに応じて、その相場も変動するので、プラットフォームを提供する企業が恣意的にコントロールすることもできません。つまり、「壁に囲まれた庭」を超えた存在になりうるということです。

そのため、メタバースが発展し、クリエイター経済が拡張していくうえで、これらが有力な取引手段になりうるのではないかと期待を集めています。また、異なるメタバース間の相互運用性を実現するための鍵となるのではないか、という議論もなされています。

「Play-to-Earn」というコンセプトの登場

メタバースにおいてブロックチェーン技術が大きく注目を集めるようになったきっかけは、「Play-to-Earn（稼ぐために遊ぶ）」という考え方が一般化したことにあります。

２０１８年に登場したベトナムのゲーム会社スカイメイビスがリリースした「アクシー・インフィニティ（Axie Infinity）」というウェブブラウザやスマホ向けのゲームがあります。このゲームは「ポケモン」の対戦パートだけを取り出したようなゲームです。最初に初期費用としてアクシーと呼ばれるモンスターを3体ほど３００ドル程度で購入します。それを対戦を通じて育成したり、アクシー同士を掛け合わせて子どもをつくったりして楽しみます。

それぞれのアクシーはＮＦＴ化されており、公式の交換所や、外部の交換所で売却することが可能です。ゲームそのものは単純作業の繰り返しですが、毎日ログインして遊び続けると、２０２１年夏頃のピーク時には1ヶ月で３００〜４００ドルは稼ぐことができたと言われています。

このゲームは、とりわけフィリピンで大ヒットしました。コロナ禍で経済的に苦しくな

2018年にリリースされたアクシー・インフィニティ。

った人たちが、生活費を稼ぐ手段としてゲームでお金を稼ぐようになったのです。数百ドルとはいえ、フィリピンの貨幣価値からすれば大金です。

そのため、アクシーのレンタルサービスを行う企業が登場しました。イールド・ギルド・ゲームズ（YGG、Yield Guild Games）という別のスタートアップ企業が大きな役割を担いました。YGGは提携する「Play-to-Earn」型のゲームのNFT貸し出しサービスを専門に行う事業を展開しています。

彼らによって、フィリピンのアクシー・インフィニティユーザー向けに「アクシー・ユニバーシティ」と呼ばれる利益分配のためのスカラーシップ制度が整えられました。これに応募して採用されると、無料で3体のアクシーの貸し出しを受けることができます。そして、月の売上のうち7割を自分の収入とすることができます。残り2割をスカラーシップのコミュニティ運営、そして1割をYGGが取得するという仕組みです。

このサービスに多数の参加者が殺到したことで、アクシー・インフィニティの人気も加熱しました。特に、2021年に入ってからのNFTブームに乗る形で、1日あたりのアクティブユーザー数は2021年4月に3万8000人だったのが、11月には240万人にまで激増しています。ゲームを遊ぶことで獲得できる暗号資産AXSの1日あたりの取引高も、3億ドルを超えるほどに広がりました。

アクシー・インフィニティに関して特筆しておきたいのは、単にゲームの機能だけでなく、一方でメタバース的なコミュニティ機能の拡張にも乗り出していたことです。具体的には、ゲーム内の仮想の土地を、数を限定してNFTとして売り出したのです。土地を購入したユーザーは、そこにゲーム内の装飾品などを配置したりできました。

全体では9万の土地が順次売り出されていく計画になっており、一般的には3イーサ（2021年11月のピーク時は、日本円で170万円相当）で、手に入りにくい限定的な土地ほど高い価格が設定されています。2021年11月には全体で220しか存在しないレア度の高い土地の一つが、550イーサで販売されたことがアクシーの公式ツイッターにて明らかにされました。これは当時の日本円で2億7000万円にも達する高額の取引でした。

ゲーム内の土地には２０２２年内に機能追加が行われるとされているものの、いまの時点では他のユーザーと取引する以外の使い道はありません。高い価格がついているのは、その希少性ゆえの投機的な魅力からでしょう。

ただ、アクシーは新規ユーザーを獲得し続けなければ、エコシステムのなかにリアルな現金が入ってこない構造になっています。そのためにゲームの構造自体が「ポンジスキーム（投資詐欺の一種）」なのではないかという批判も受けています。

仮想通貨ＡＸＳは、２０２１年11月に１ＡＸＳ＝１６０ドルという最高額を付けたのち、２０２２年４月には46ドルと３分の１にまで低下しています。発展途上国を中心にまだゲームは遊ばれていますが、ブームであったときと比べて収益を出すのがはるかに難しくなっていると言われます。

これは２０２２年に入って暗号資産の価格そのものが下落したことが大きな要因です。価格が下落したことで、新規ユーザーは初期ユーザーのようには儲けられなくなってしまいました。その結果、１日あたりのアクティブユーザー数は、２０２２年４月には１万７０００人あまりにまで減少しています。

アクシーは、今後は「儲かるゲーム」というコンセプトではなく、ＳＮＳ化を目指していくとしています。アクシー自体は、必ずしもメタバースに分類されるサービスではありませんが、それでも「Play-to-Earn」というコンセプトの登場によって、ＮＦＴをメタバースと組み合わせることの可能性が認知されるきっかけとなったのは事実です。

ザ・サンドボックスの評価はバブルなのか

アクシー・インフィニティ以降、ＮＦＴなどの暗号資産の技術を取り入れたメタバースであることを積極的にアピールするプラットフォームが次々に登場しています。その一つが、「非中央集権的なメタバース」というコンセプトを掲げる米ピクソールの「ザ・サンドボックス（The Sandbox）」です。

このゲームには明快な目標はありません。ユーザーには、自らが所有する土地にボクセル調と呼ばれるブロックでつくられた３Ｄオブジェクトを配置して、自由にゲームをつくる仕組みが提供されています。そして、自らのアバターを使って、その世界に参加することができます。ＶＲにはまだ対応しておらず、２Ｄのモニター上でプレイします。

また、オブジェクトやアバターは提供されている内部ツールを使って開発することが可能です。ロブロックスに近い、ＵＧＣを前提としたプラットフォームと言えるでしょう。

ただし、ブロックチェーンに対応することによって、他のプラットフォームと決定的に異

ザ・サンドボックス。正式なサービスはまだ開始されていない。

なっている点があります。ゲームに登場する数々のオブジェクトはＮＦＴ化されるか、自らＮＦＴ化して取引所に売りに出すことで、いつでも暗号資産に交換可能なのです。

そして、ある意味で最大の特徴と言えるのは、正式サービスをいまだ開始していないということでしょう。２０１８年から開発が始まり、２０２２年４月現在、アルファ版として一部を先行公開しただけにもかかわらず、すでにＮＦＴ販売を通じて、ゲーム会社に大きな売上をもたらしています。それは仮想空間内の土地に資産価値があるという大きな期待からです。これが一時的なバブルなのか、それとも持続可能なものなのかに注目が集まっています。

そもそも、ユーザーがカスタマイズ可能なゲーム内の土地を入手するには、その土地を購入するという方法をとらなければなりません。ゲームでは16万の仮想の土地が順次販売されており、2022年3月時点で70%がリリース済みでした。セカンドライフのように月額のレンタルではなく、NFTとして売却されているため、土地を所有するユーザーはそれをプラットフォームで自由に使うこともできますし、他のユーザーに売却することも可能です。

ただ、驚くべきはその値段です。用意されている取引所で、現在売り出されている土地を見ることができます。2021年3月時点で、最低サイズでも1・9イーサ（約5800ドル相当）で売られています。最も高いものには、800イーサ（約246万ドル）もの価格が設定されていますが、実際の取引は5〜10イーサ前後の値付けが基本のようです。いずれにしても、これほどの価格の土地を一般的な層のゲームユーザーが購入するとは現実的には考えにくいです。多くはサービス開始時の値上がりを見込んだ投機でしょう。

一応、収益を生み出す手段はこれだけではありません。先ほど述べたように「ゲームメーカー」と呼ばれる開発ツールが公開されています。そのツールを使うと、自分のアバターから、ゲームに登場させられるモンスターや、背景に使える装飾品まで、さまざまなオブジェクトをつくることができます。そして、それらのデータは作成後にNFT化して、取引所で自由に販売することが可能です。2022年3月時点で3万5000種以上のデータが販売されています。

価格はオブジェクトによってまちまちですが、このゲームの基準となる暗号資産SANDで5~100SAND(15ドル~300ドルに相当)に設定されていることが多いようです。例えば、本棚であれば30SAND(90ドル)、自動車であれば100SAND(300ドル)といった具合で、それぞれ200個限定で販売されています。例えば、レーシングカー風のデータは、販売開始から私が確認した時点までで200台中99台が売れていました。販売が成立した場合は5%の手数料をプラットフォームに取られますが、購入したユーザーは、そのNFTデータを公式の交換所以外の場所で転売することが可能です。

また、土地を持つユーザーであれば、自分の土地にそれらのNFTを配置して、「ゲームメーカー」のツール機能を使ってゲームをつくることができます。プログラムを使わなくとも、さまざまなゲームをつくれる機能が搭載されており、そこからじつに数百種類のサービスが生まれています。土地を持つユーザーは、そのサービスに外部から参加するユーザーから利用料を取ることもできるため、これも収益を得るための方法となっています。

実際につくられているものとしては、人が集まれる集会所のようなソーシャルハブ、ユーザーが所有するNFTを展示するためのNFTギャラリー、音楽・DJイベントなどが楽しめるナイトクラブ、アバターを着飾って他のユーザーに見せるファッションショープースといったものがあります。純粋なゲームだけでも、「ゼルダの伝説」風のアクションゲームから、謎を解いていくアドベンチャーゲーム、空間を走り回るローラースケートゲームなどがあります。

また、先に見た「Play-to-Earn」の仕組みも実験的に導入されています。アルファ版の公開期間中には、決められたお題に合わせて画像をツイートしたりすることで、最大1000SANDを得られる機会が提供されていました。キャンペーンへの特典として、暗号資産を獲得できたのです。

有名ブランドの参入と日本企業の動き

「ザ・サンドボックス」はランド（ゲーム内の土地のこと）への有名ブランドの誘致にかなり力を入れているところにも特徴があります。有力なブランドをゲーム内の土地に呼び込み、特別なサービスを用意することで、ユーザーのサービスへの信頼性を高める効果を狙っているのです。

専用のフランチャイズエリアをつくる形で、テレビドラマ「ウォーキング・デッド」や、靴メーカーの米アディダス、音楽系の米ワーナーミュージック、高級ブランドの伊グッチ、ゲーム会社の仏アタリや仏ユービーアイソフトなど、トータルで200社以上の企業が参入していると発表されています。それぞれの企業は専用の土地を使い限定のNFTの販売を行うことで、プロモーションの場として活用していく方針のようです。実際に、グッチの限定アバターなどが販売されています。

日本の企業にも、参入する動きが出ています。2022年1月に暗号資産取引所・販売所のコインチェックが、ザ・サンドボックスのランドを取得し、2035年の近未来都市「Oasis TOKYO」を制作するプロジェクトを開始したと発表しました。実際の日本を連想させる街並みや、美術館、ステージなどのさまざまなイベント施設を設置して、アーティストとファンとの交流や企業のコミュニティ育成の場として活用することを目的としているようです。

さらに2022年2月には、エイベックス・テクノロジーズが「エイベックスランド」を立ち上げると発表しました。そこではアーティストの配信ライブやファンミーティングなどのイベントの開催、NFTアイテムの販売が予定されています。土地のオープンに先駆けて、ピコ太郎、浜崎あゆみなどの知名度のある芸能人のNFTアイテムが販売されました。これらのアイテムはザ・サンドボックス内で、アバターを装飾したり、コレクションとして土地に配置したりすることができます。初回イベントへの参加を可能にする入場パスや、タイアップした土地の販売も行われています。

一方で、将来的にサービスの成長が難しいのではという懸念はついて回ります。サービスが開始されたら、いまのような土地の価格は維持できないのではという疑問の声も絶えません。暗号資産ＳＡＮＤの価格は２０２１年11月には１ＳＡＮＤ＝８ドルを超えていましたが、その後は下がり続けており、２０２２年６月現在、１ＳＡＮＤ＝１・３ドル前後にまで落ちています。

この価格下落は、暗号資産全体の価格が低下したことが大きな要因ではありますが、ビジネスを今後安定的に成長させることができるのかという疑問の表れとも言えるでしょう。それでもＳＡＮＤの流通金額に基づくプラットフォーム全体の時価総額は15億ドルあまりと、まだまだ巨大な金額ではあります。

また、そもそも利用するユーザー数が少なすぎるという統計結果も出ています。データ収集サイト、ダップレーダーによると、２０２２年３月のザ・サンドボックスの１日あたりのアクティブユーザー数は１１８０人に過ぎず、しかも２月と比べて29％も減少しているようです。ロブロックスが２０２１年に約５０００万人の１日あたりのアクティブユーザー数を獲得していることを考えると、その規模の違いにはあまりに大きな差があります。

このアクティブユーザー数の少なさは、11万人は存在するはずのランドの所有者が、ほとんど自分の土地にアクセスしていないことを示しています。ザ・サンドボックスが正式にサービスを開始したとしても、大きなサービスに成長するかは、はっきりとしません。サービスを開始しないほうが期待値を維持できるので、暗号資産SANDの価格を高い状態に誘導できる可能性さえあります。下手にサービスを開始して、多くのユーザーが集まらなければ、価格がさらに低下することは十分にありえます。

「非中央集権的なメタバース」は実現できるか

ザ・サンドボックスのように暗号資産を販売することで資金調達し、プラットフォームを立ち上げるという方法は、初期の開発費を十分に用意できない開発会社が取りうる新しい選択肢として注目を集めつつあります。初期の売出しによって、十分に資金調達ができれば、プラットフォームの機能の開発にもじっくりと臨むことができます。メタバースを標榜する新しいプラットフォームが、暗号資産への対応を売りにしている場合、その主目的が資金調達にあることは間違いありません。

一方で、サービスの開始直後に参入したユーザーが最も収益を出しやすいという極端な偏りを生み出すことが多いのも、アクシーのときから変わらない構造です。サービス開始直後に一時的なバブルが起こり、その後、値上がりしたところで大勢が売り抜けようとして暗号資産やＮＦＴの価格が低迷するというパターンが繰り返されています。

そして、ユーザーがゲームに参加するために、まずは一定のお金を払わないといけないという方式は、従来のゲームユーザーのニーズと重なりません。メタバースを実際に利用している10代を中心にしたゲーム好きの子どもたちに、ゲームに参加するために数百ドルを払ってＮＦＴを入手しろというのは、あまりに非現実的です。そのため、ユーザーの広がりを生み出せていないというのが実情です。金融会社パイパー・サンドラーの２０２２年春の調査によると、アメリカの10代で暗号資産を所有している割合は11％でした。ＮＦＴについて聞いたことがある人が61％で、そのうち購入したことがある人は８％にとどまっています。まだまだ、購入時の手続きの複雑さや多くの資金を必要とすることが、壁となっています。

ただ、暗号資産とＮＦＴにさまざまな可能性があるのは事実です。例えば、バーチャルグッズをＮＦＴ化して販売すれば、ＮＦＴそのものの所有権はユーザーのものになります。また、ＮＦＴには転売されるたびに、それを最初につくったクリエイターにロイヤリティを支払うように設定する機能があります。一般的に１～３％に設定されることが多いですが、そうすることで中古としてＮＦＴが出回ったとしても、オリジナルを生み出したクリエイターにも利益をもたらすことができます。

ほかには、NFTによって複数のメタバースの間に相互運用性を持たせることができるのではないか、という期待もあります。例えば、あるメタバースで使用していたアバターを、他のメタバースでも使いたい場合に、そのアバターを所有している証拠としてNFTを利用すればいいのです。

ザ・サンドボックスでは、人気のあるサルのアイコンのデジタルアート「BAYC」のNFTを持ち込むと、そのデータに合ったアバターを生成して使用できる機能が追加されています。それにより、一部の相互運用性を実現していると主張しています。ただし、それも結局はザ・サンドボックスが対応しているNFTでなければならないので、限定的なものであると言えます。

NFTを構成するデータは、サイズが大きくなるほど取引時の処理に要する計算量が増えてしまうため、現在は3Dデータのような複雑な情報を扱うことは現実的ではなく、特定のプラットフォーム内に格納されているデータを呼び出すための認証コードとしての役割ぐらいが精一杯です。そのため、ザ・サンドボックスも「非中央集権」を謳っているものの、自社の仕組みでしか意味を持たないNFTが大半というのが実情です。

じつはザ・サンドボックスは、規約の上では一方的にユーザーのアカウントの利用停止や削除までできる、としています。これは既存のオンラインゲームでは一般的なルールでもありますが、「非中央集権的なメタバース」というコンセプトとどのように整合性を取るのかが不透明です。いまのところは、これまでのWeb2.0型のプラットフォームとほとんど違いがない「壁に囲まれた庭園」モデルであると言わざるを得ないでしょう。

RMT化することで生まれる法的な課題

ＮＦＴに関しては、メタも、クリエイター経済を活発化させるために導入を検討していきます。ただ、当初は自社のプラットフォーム内で完結する形を目指すのではないかと予測されています。２０２２年5月には、まずインスタグラムで特定のクリエイターに限ってＮＦＴを発行できる仕組みのテストを開始したと明らかにしています。クリエイターのバーチャルグッズ販売の新しい手段を提供することを目的としています。今後、順次「ホライズンワールド」にも拡張していくと考えられています。ただ、ユーザーは外部の取引所でＮＦＴを販売することができるものの、ＮＦＴを作成できるクリエイターを限定し、ＮＦＴ自体もメタのプラットフォーム内のデータとのみ紐づけるといった形の運用が想定されているようです。

こうしたやり方はＮＦＴという技術の非中央集権的な側面を否定するものではあります

が、クリエイターを限定し、自社のプラットフォーム内でしっかりと管理することで、暗号資産の価格変動などの影響を小さくし、また運用上の安全性も確保できるため、プラットフォーム企業にとってメリットが大きいのでしょう。それでも、将来的に扱えるデータ量が増加したり、複数のプラットフォーム間でのルールづくりが進んだりすることで、ブロックチェーンがメタバースにとって重要な技術に発展する可能性はまだ十分にあります。

ただし、暗号資産などをメタバースで扱う際の潜在的なリスクとして、何らかの確率によって換金可能な暗号資産やNFTを獲得できる量が変化するという仕組みの場合は、国によってはギャンブル行為とみなされ、処罰される可能性が残されています。例えば、ロールプレイングゲームで、敵モンスターを倒した結果、それで獲得できるゲーム内通貨、もしくは武器などのアイテムが、ある確率で手に入るとします。そのどちらであれ、それがイーサリアムなどの暗号資産と換金可能であった場合、ギャンブル行為とみなされ、ゲーム会社もユーザーも処罰される可能性があるのです。

ゲーム内アイテムは、リアルマネートレード（RMT）の対象として売り買いが行われてきたように、本質的には暗号資産やNFTとの相性はよいと考えられています。データもブロックチェーンで保全されているため、取引において詐欺行為を行いにくく、トラブルが起きにくいという側面はあります。

しかし、ＲＭＴを認めたオンラインゲームが登場しなかった最大の理由は、サービスを展開する国の法の下で、ギャンブルとみなされるリスクが存在していることが一因です。ゲームと「Play-to-Earn」が組み合わされる楽しさは、何といっても実際のお金が稼げるというところでしょう。しかし、それがメタバースにおいて本質的なものなのかはまだはっきりとしておらず、こうした点の法的な整理は始まったばかりです。

ＶＲでメタバースが楽しめるＶＲチャット

ＶＲを中心としたメタバースとして、すでに定着しつつあるサービスにも目を向けてみましょう。ＶＲＳＮＳとして登場した「ＶＲチャット」です。メタの「ホライズンワールド」は、このサービスを追いかける立場にあると言っても過言ではありません。

ＶＲチャットは、さまざまなＶＲデバイスが登場しＶＲ元年と呼ばれた２０１６年の翌年に本格的なサービスを開始して以来、現在まで利用者の数を増やし続けています。２０１９年に約８０００人だった同時アクセス者数は、２０２２年1月には約9万人を記録。正確なユーザー数は発表されていませんが、登録ユーザー数は約１０００万人を超えていると推測されています。

利用者はVRデバイス以外にパソコンからも利用できますが、約3割のユーザーがVRデバイスを使ってログインしているようです。また、登録ユーザーの1割程度が日本のユーザーと言われています。日本のユーザーのコミュニティにおける存在感は大きく、VRチャット内で起きているさまざまなイノベーションを、日本のユーザーが引っ張る形でクリエイター経済の形成が進み始めています。

VRチャットでは、プレイヤーは自由なアバターを選んで任意の仮想空間である「ワールド」に入っていきます。VRチャットの大きな魅力は他のユーザーとのソーシャル性です。数十人であれば同じワールドを同時に共有でき、ボイスチャットを使ってお互いに会話をすることができます。

VRデバイスを使っているユーザーは、ヘッドトラッキングやコントローラーの動きに合わせて、アバターが動作するため、ボディーランゲージを使ってもコミュニケーションをすることができます。その分、自分自身も、対面する他のユーザーも、没入感が高まるという仕組みです。

重要な特徴は、サービス開始当初からロブロックスのように、UGC主体でサービス運用がなされているという点です。VRチャットでは、ゲームエンジンの「ユニティ」と組み合わせて利用できる開発ツールが提供されています。ユニティはアマチュアのユーザーの場合、無料で利用できます。また、無料でありながらプロが利用するものと機能的には遜色ない3Dモデリングツール「ブレンダー」が併せて使われることが多く、プロでないユーザーをクリエイターにする多くのきっかけを生み出しています。

アバターによっては、無料で配布されているものも多数存在していますが、もちろん自分で専用ソフトを使ってつくり込んだ3Dデータをゲーム内にアップロードすることも可能です。VRチャットが指定するフォーマットに変換できれば、どのようなものでも表示可能なため、人間の姿から、美少女、ネズミなどの小動物、ロボット、アニメのキャラクターまで、思いつく限りのさまざまな姿のアバターで溢れています。

ワールドについても、公式につくられているものはごく一部で、ユーザーによってじつにいろいろなワールドがつくられています。例えば、街、森、桜並木に木造の学校、図書館などなど。日本のユーザーによってつくられたと思われる温泉郷のような創意工夫に満ちたワールドもあります。2021年には5万以上のワールドが公開されていると発表されています。

人気のある場所としては、定期的に飲み会が開催されるパブや、演奏会が行われるコンサートホール、音楽に合わせて踊れるディスコなどがあります。ライブコンサートはよく行われているユーザーイベントの一つで、VRを介して生演奏が行われたりします。この生演奏にしても、ジャズやクラシックなどジャンルは多彩です。音楽以外にも、英語を学習したり、同じ格好のアバターで集まったり、何かのトピックについて雑談したりと、さまざまなソーシャルイベントが定期的に開催されていて、人気を支えています。

ワールドにはプログラミング言語を組み込んで独自のルールを追加することも可能なため、複数人で楽しめるゲームもつくられています。ジェットコースターや、ボクシング、ドッジボール、野球など、数限りない種類が存在します。銃で撃ち合うようなシューティングゲームは、VRチャット内でも人気です。それに絡めて、広告的なアプローチでの進出も試みられています。

日本のエアソフトガン製造メーカーの東京マルイは、2021年にプロモーション目的でサバゲーワールド「TOKYO MARUI VRC Survival Game Field "Island"」の提供を開始しました。実際に販売されている同社のソフトガンを使って、VR内でサバイバルゲームができるという仕組みです。現実世界で販売されているソフトガンをバーチャルで試し撃ちすることもできます。

VRチャットには、始めてはみたものの何をすればいいのかわからない、という理由から1時間程度しか滞在せず、その後もログインを継続しない人が多い一方で、1週間に13時間以上も遊ぶ熱心なユーザーを多数抱えているという特徴があります。いったん友達ができると、段々とその面白さから抜けられなくなっていくと言われており、そうした熱心なユーザーは、実質的にVRチャットのなかで暮らしているのに近い状態です。

VRデバイスをつけたまま、他の人と一緒に眠る「VR睡眠」といった活動も行われています。実際にワールドを見て回っていると、横になっているアバターから、寝息が聞こえることもあります。

経済圏の中心はアバター販売サービス

サービスは基本的に無料でプレイが可能です。1ヶ月9・99ドルのサブスクリプションサービスの提供も行われていますが、アバターの保存できるスロット数を25から100へと引き上げるといったもので、初心者には必要のない機能のため、サービスにかかる費用は無料であると言って差し支えないでしょう。

2022年6月現在、独自の仮想通貨はサービスに組み込まれておらず、アバターを制作しているユーザーもVRチャット内では販売することができません。配布することは可能なのですが、無料で行う必要があります。アバターを売り買いしたい人は、外部のウェブサービスを使って決済するのが一般的です。そのため、VRチャット内で何らかのサービスを実施するにしても、決済はそこで実施できないという大きな課題を抱えています。

このようにVRチャットはその主となる収益源を持っていないため、今後はロブロックスなどと同じように独自の仮想通貨の採用するのではないか、という予想もあるのですが、はっきりとした発表は行われていません。それにもかかわらず、VRチャットでクリエイター経済が発展するようになったのは、日本で外部のウェブサービスを通じたデータの販売体制が整えられたことが背景にあります。

日本ではイラストSNSとして定着しているピクシブ（pixiv）は、2013年より「BOOTH（ブース）」というオンデマンドの創作販売サービスを展開しています。同人誌やイラストの販売から、オリジナルアクセサリー、ぬいぐるみまでさまざまなものが販売されています。3Dデータの販売の取り扱いも行っており、そこで人気を集めているのがVRチャット用のデータです。

2022年3月時点で、VRチャットのタグで検索すると登録件数は4万点以上にまで増えています。その半分近くが、アバターや、服や髪型といったアバターを着飾るための装飾品のデータです。無料で提供されているものから、数万円に及ぶものまで、多様な価格帯で販売されていますが、一般的には5000円程度に設定されています。

人気のあるアバターは、アニメ風の美少女アバターが多い印象ですが、ボーカルユニットに所属しているような美青年男性アバター、可愛らしい狼男のアバター、ロボットのアバターなど、多種多様です。アバター販売を通じて数百万円を売り上げたユーザーもいると言われており、またユーザーの希望に応じて、キャラクターデザインから3Dモデルの作成を行う、アバター制作専業のスタートアップも登場しています。

データを購入したユーザーは、BOOTHからダウンロードしたあと、ユニティを使ってVRチャットにアップロードするといった設定を個別に行う必要があります。その手順は、ちょっとした専門知識を要求されるものではあるのですが、多くのユーザーが手間を掛けてでも自分の独自のアバターを持ちたいと考えているようです。また、データは購入者が自由に扱える状態になっているため、改造に挑戦しているユーザーもいて、購入したデータを元にブレンダーなどの専用ツールの使い方を学習するきっかけにもなっています。プラモデルをつくるような感覚で3Dモデルを触り、自らのアバターに独自性を与えていくホビーユーザーが増加していると考えられます。

こうしたVRチャット内でのアバター販売を中心としたクリエイター経済圏は、まだ日本のユーザーのまわりに集中しているようです。海外でも、アバターデータを開発するビジネスは始まっているものの、大きな規模にまでは成長していません。BOOTHのような外部でのデータ取引サイトが存在しておらず、クリエイター経済の基本となるシステムが確立できていないことが要因と考えられます。

なぜ日本でクリエイター経済が成長しているのか

ＶＲチャットにおいて日本のユーザーを中心としたクリエイター経済の成長が続いている要因としては、日本独自の理由があります。それは日本のＶＲアプリの開発会社が主導して、２０１９年に３Ｄアバター向けのファイルフォーマットである「ＶＲＭ」が策定されたことです。ニコニコ動画で知られるドワンゴの系列会社のバーチャルキャストを中心に、アバターでのサービス展開を行っている企業20社で組織されたＶＲＭコンソーシアムによって、共通フォーマットが整備されました。

通常、アバターは、さまざまな企業が独自にフォーマットを展開しており、基本的に互換性はありません。そのため、あるゲームのアバターデータを他のゲームへと移植しようとすると、さまざまな修正が必要となり、その作業には高い専門知識が求められます。しかし、アバターのボーン（骨）構造、表情の設定方法、視線の決め方、グラフィックスを決めるテクスチャのデータの処理方法といった構成要素がフォーマットとして定義され、各社がそれに従って作成したデータであれば、互換性が高まり、移植は劇的に容易になります。

ＶＲＭが策定された時期は、日本でＶチューバー（VTuber）と呼ばれる３Ｄアバターを利用した動画配信がブームになりつつあった時期にも重なります。このときＶＲＭフォーマットが定められたことによって、アバター部分についてはこのフォーマットに準拠すればよくなり、専業で配信を行う企業から、それほど技術を持たないアマチュアユーザーまでが簡単に3Dアバターを使って動画配信を行える環境が整ったのです。それにより日本国内から、アジア圏に広がる独自のアバター文化が生み出されました。

さらに2018年に、先ほどのピクシブがVRMアバター作成ツールの「VRoid studio（ヴイロイドスタジオ）」をリリースし、3DCGの専門知識を持っていないユーザーであっても、簡単にVRMデータを作成できる環境を提供し始めました。このツールは、パラメータを設定するだけでVRMフォーマットのアバターを作成できるという簡単操作で、直感的かつ使いやすいのが特徴です。

画期的であったのは、このツールのPC版で作成したデータの著作権はユーザーに帰属するとしたことで、多くの個人クリエイターに商用利用の道を開いたことです。またウェブ上に、「VRoid Hub（ヴイロイドハブ）」と呼ばれるVRM向けのショーケースサイトを用意し、ユーザーがVRMデータをアップロードすると、実際にリアルタイムのアニメーションで動いている姿を簡単に確認できるようにもしました。

もちろん、操作が簡単とはいえ、アタバー向けの服装などを凝ったデザインにするには、それなりにCGの専門技術が必要になります。こうして、つくり込まれたアバターを使いたいというユーザーのニーズと、作成したアバターを販売したいというクリエイターのニーズが、ＢＯＯＴＨというサービス上で結びついたことで、アバターのみならず、服などの装飾物の製作と販売が日本において活発化するようになったのです。

ＶＲＭフォーマットは、他のさまざまなゲームにも応用されつつあり、特にインディゲームと言われる分野では採用が進んでいます。例えば、日本のゲームベンチャーのポケットペアは、狩り・農業・建築といったサバイバル生活をテーマにした「クラフトピア」というゲームをＶＲＭに対応させ、ユーザーが自由に自分のアバターをゲーム中に登場させる機能を追加するなどしています。このように、ＶＲＭフォーマットは企業が独自サービスをつくるうえで基準となる、フォーマットの一つとなってきています。

盛り上がるメタバース展示会

日本でクリエイター経済の成長が続くもう一つの理由が、メタバースにおける展示会の登場です。２０１８年に、日本のＶＲチャットユーザーであった、動く城のフィオ氏が中心になり、日本のＶＲに特化した開発企業ＨＩＫＫＹがＶＲチャット上での展示会「VKet（バーチャルマーケット）」を企画・開催しました。これは日本で行われている最大規模のリアルイベント「コミックマーケット」のＶＲ版とも言えるコンセプトで、出展企

バーチャルマーケット2021のパラリアル渋谷の様子。

業やサークルから出展料をもらい、VRチャット内に規定のブースを提供するという仕組みです。

Vketは、1回目の成功以降、変則的に開催されましたが、2020年の第5回以降、15日間の会期で夏と冬に開催されるようになっています。24時間、展示会場を開けておくことができるうえに、国境を意識する必要がないため海外からの参加者も多く、2021年12月には114万人の来場者があったことが明らかにされています。

じつは、このVketで販売されていたもので、最も注目を浴びたのがアバターでした。会期中には専用エリアが設けられ、数百種類のアバターが個々のブースに分かれて展示販売されました。アバターをその場で「試着」することも可能で、VRデバイスと組み合わせることで展示会としての意味が高まります。

先に述べたように、VRチャット内では決済ができないので、アバターの購入希望者は、ブースで表示されるリンクを使って、外部のウェブサイトに飛び、そのサイトで決済を行わなければなりません。こうした不便さはあるものの、それを超えるメリットを利用者に感じさせることに成功した結果、出展者数が1000を超える巨大イベントへと成長しています。

こうした展示会が定期的に開催されると、アバターなどの製品をつくるためのノウハウが広がるので、創作するユーザー数も増える傾向があります。Vketが日本でのアバターを中心としたクリエイター経済が拡大する大きな動力源になっているのは間違いありません。

また、Vketが力を入れているのが、一般企業のVR展示会場への参加です。ロブロックスにおける企業出展のVRチャット版とも言えます。セブン-イレブンやローソンといった企業も実店舗を模したVR店舗を出店しています。他にはネットフリックスが新作のアニメ「攻殻機動隊SAC_2045」の予告編を見ることができる映画館を用意したり、独アウディが会場内で運転することができる電気自動車の展示を行ったり、JR東日本がバーチャル秋葉原駅を作成してみたりと、さまざまな試みが行われています。

2021年12月のVket2021では、ファッションブランドのビームスがブース内で「ちびまる子ちゃん」や「オッドタクシー」などのＴシャツやトートバックの展示を行い、そこからリアル商品を購入できるようにしていました。ブランド名の入ったＶＲチャットオリジナルアバターの販売も始めています。

変わったところでは、大丸松坂屋が「季節の美味しいグルメ」の販売をＶＲ店舗で行いました。ハンバーグセット、握り寿司、ローストビーフ、ずわいがに鍋など、会場には「食品３Ｄモデル」と呼ばれる、写真をベースにした３Ｄグルメが展示されています。その中から欲しい商品を選択すると、注文の受付を行うウェブサイトにつながり、実際に購入することができるという仕組みです。３Ｄデータを使った仮想世界と現実世界をつなぐコマースは、今後、日本でも成長が期待されている分野です。

ＨＩＫＫＹは最終的なゴールを、バーチャル空間内に常設型ショッピングモール「VketMall（ヴイケットモール）」を立ち上げることに置いているようです。プレオープンとして２０２１年8月に2週間あまり開催された「VketMall Proto（ヴイケットモールプロト）」では、ＶＲチャット用のアバターや服、家具などのそれぞれの分野を扱うセレクトショップが20店舗あり、そこでは常時１００種類のアイテムが展示・出品されていました。ブースを持たなくとも、販売機会を持ちたいユーザーは、このセレクトショップに展示物の一つとして出品ができるという方式でした。こうした常設のメタバース店舗の開設は大きな流れになっていくでしょう。

ただ、ＶＲチャット内でさまざまなコマースを展開しているのは、まだ日本企業のみのようです。ＶＲチャット自体は米オースティンで毎年開催される大規模な複合フェスティバル「サウス・バイ・サウスウエスト（ＳＸＳＷ）」の２０２１年、２０２２年のＶＲ会場として、参加チケットが３２５ドルの有償イベントを開催していますが、有力な企業と組んだ常設展示のようなイベントを実施しているケースはあまり登場していません。これは一つには、企業がビジネス展開を行う場合には、ＶＲチャットに対して支払う必要のあるライセンス費用が高額であるためだとも言われています。まだまだ、さまざまな企業にとって使いやすいプラットフォームとして成熟していないのです。

ＶＲチャットが乗り越えなければならない課題

また、ＶＲチャットがこのまま巨大経済圏にまで成長できるかというと、そもそも原理的に簡単ではないと考えられます。乗り越えなければならないさまざまな課題があるからです。それは自由にデータを組み込めるＵＧＣシステムが抱える課題でもあります。

２０２２年１月にＶＲチャットは公式発表として、「ＶＲチャットにおける公式なブロックチェーンやＮＦＴとの統合は、現在も将来も予定していません」と発表しました。ただし、同時に「ユーザーが他のプラットフォーム上の資産（３Ｄモデルや画像ファイルなど）のＮＦＴを購入することを決めた場合、その資産が当社の利用規約に違反しない方法で使用される限り、他の資産と同様にＶＲチャットでその資産を利用することが許可されます」としています。

これは例えば、ＮＦＴと特定のアバターがリンクされ販売されているサービスがあるとしたら、そのサービスで購入したものを、ＶＲチャット上でも使用可能であるという意味です。一方で「ＮＦＴやブロックチェーン技術などの未認可の製品・サービスのプロモーション、広告、統合、勧誘を許可していません」としており、それらを主体としたサービスを自由に展開することは禁じました。

ＮＦＴには投機的な側面があるため、旧来のユーザーにはＶＲチャットにそうしたサービスが組み込まれることを嫌う向きも少なくありません。また、ＶＲチャットがソフトウェアを提供しているパソコン向けゲームプラットフォームの「スティーム（Steam）」が、ＮＦＴを取り扱うアプリの利用を禁じる方針を出したことも原因であると推測されています。

ただ、現状のＶＲチャットに根本的な設計上の限界点が存在するのが大きな理由となっているとも考えることができます。ＶＲチャットのシステムは、ＵＧＣとしてつくられたデータが単一のものであるというユニーク性を、完全に担保することが難しい仕組みになっています。それは、アバターとマップのデータの両方が、同じワールドにいるユーザーのローカルなパソコンやデバイスに送信されることで、各々のデバイスに表示されるという形式が取られているためです。

つまり、事実上、一度はデータ自体が他のユーザーにも共有されているのです。アバターデータなどのファイルフォーマットは公開されているため、それを手がかりに送られてきたデータを解析することは不可能ではありません。実際に、販売や共有を行っていないはずのアバターデータが盗まれて、それが無料配布されるという事件が起きています。

クリエイター経済の発展のためには、そうした不正行為を防止する必要がありますが、システムの構造上の問題から、完全に抑えこむことは難しいと考えられます。データがコピーされてしまうという問題は、NFTを導入するうえで致命的な弱点です。NFTは本来、唯一無二であることに価値が生じるのですが、NFTにひもづくアバターデータが第三者によりコピーができるというリスクが残っている限り、その価値が毀損(きそん)されるリスクがあります。そのために現状は対応を避けているというのが実情なのでしょう。

プラットフォーム内でのユーザーの自由度を認めることと、サービスにアクセスできる条件を制限することで堅牢性や安全性を確保することは、時に対立します。現状のVRチャットは、課金アバターなどのアイテムのやり取りが行われた場合に、その安全性を確保する堅牢性が不足していると思われます。この点が、今後サービスがさらに広がっていくうえで大きな課題となる部分です。

ＶＲチャットの競合としては、ＶＲ版のロブロックスを目指す「レックルーム（Rec Room）」、ＶＲチャット以上の高機能さを誇る「ネオスＶＲ（NeosVR）」、日本のベンチャー会社が開発する「クラスター（cluster）」、ドワンゴ系列の企業が開発する「バーチャルキャスト」など、類似のメタバースプラットフォームが次々と登場しています。

２０００年代にさまざまなブログサービスが登場しましたが、必ずしも先行したサービスが有利になったわけではありませんでした。１９９９年という早い時期に登場し、２００３年にグーグルに買収された「ブロガー（Blogger）」が有名ですが、後発のフェイスブックやツイッターに代表されるＳＮＳに利用者数で圧倒されるようになります。

このような現象が、メタバースの世界でも十分に起こり得ます。ＶＲチャットのさらなる普及のためには、まったく技術のないユーザーが、不便を感じることなく使えるような環境を構築できるかどうかが、他のメタバースとの競合点になっていくことは間違いないでしょう。それには、現状のＶＲチャットは多くの人にとって、まだ難しすぎるように感じられます。

ＶＲチャットは、２０２１年６月に８０００万ドルの資金調達を実施しており、それらの資金を切り崩しながら運用を続けていると思われます。一方で、ＶＲチャットが何を売上の中心としていくかという、ビジネスモデルを成立させるための具体的な戦略は、はっきりと明らかにされていません。メタバースのビジネスプラットフォームとして利用するには、ＶＲチャットは使いやすいプラットフォームとまでは言えないのです。

ＶＲの世界では、先進的なメタバースサービスとして認知されているものの、今後何年にもわたって、より多くのユーザーに広がっていくほどの普遍性を持つには、現時点では課題を抱えていると言えます。

第6章　２０２６年のメタバースビジネス

メタバースは心の避難場所になる

２０２１年、米サンダンス映画祭で奇妙なドキュメンタリー映画が発表されました。「We Met in Virtual Reality（私たちはＶＲで会った）」というイギリスのジョー・ハンティング監督の作品です。この作品は、全編がＶＲチャットの映像で構成されており、コロナ禍によって現実の世界でロックダウンが行われるなか、人々が仮想空間上でどのように暮らしているのか、ということに焦点を当てています。

ストーリーの中心となるのは、ピンク色の髪の毛をしているジェニーさんと、その友人で女性のアバター姿ですが男性代名詞で呼ばれる聴覚障害者のレイさん、それから２組のカップル。いずれも何千キロも離れて暮らしており、現実世界では物理的なつながりは持たず、ＶＲチャットで出会い、交流を続けています。映画は、彼らの日常をただ映しただけのもので、なにか劇的な事件が起きるわけでもありません。

ただ、全員がアバターとして登場しているので、現実ではありえないような姿をしています。顔はアニメのようなのに体つきが妙にセクシャルであったり、エイリアンや動物の格好をしていたり、獣の耳・しっぽをつけていたりと、ＶＲチャットのような世界を知らない人には奇異に映る姿ばかりです。映画では、ジェニーさんが手話を教える仮想の学校や、ダンスクラス、新年を一緒に祝うカウントダウン、さらには豪華なウエディングドレ

「We Met in Virtual Reality」の予告映像より、たくさんのランタンが空へと打ち上げられているシーン。

ス姿で行われる結婚式などに参加する様子が紹介されています。その視線は常に優しく肯定的です。

ドキュメンタリーのなかでは、VRチャットについての説明は特にありません。主人公の一人であるジェニーさんが星空の下のドライブ中に雲が動かないことを話題にしたとき、私たちはここがVR空間であったと思い出すぐらいです。

印象的だったのは、レイさんの家族がコロナによって亡くなってしまったことをジェニーさんに伝えるシーンです。家族の死を悼むため、たくさんのランタンが仮想空間の空へと解き放たれる様子が描写されます。とても美しいシーンです。これについて、映画専門メディア、シネヨーロッパは「ジェニーの場合、この不具合が多く貧弱な『現実』世界の代用品が、彼女の問題を癒すのに役立っているのがわかります。生身の人間とテクノロジーが調和して融合する、癒しの『メタ』空間」なのだ、とレビューしています。

また、現実世界でコロナ禍という多くの人を孤立化させる状況が起きているからこそ、VR空間が避難場所として機能しているという側面も、この映画からは見えてきます。登場人物の一人が言います。「たとえ現実の家族に会えなくても、ここには家族がいるのです」と。VR空間における体験が、まだまだ現実世界の体験にとって代われるクオリティにないことは間違いありません。それでも、そこを自分が生きている場所だと感じている人がすでに存在しているのです。この事実からは、VRが私たちのアイデンティティや、人と人との付き合い方を変えうるという、大きな可能性を感じ取ることができます。

VRデバイスがなければ伝わらない情報

先ほどの例から、なぜVR技術がメタバースにとって重要なのか、少しだけでもイメージをつかんでいただけたのではないでしょうか。世界的に見るならば、メタバースを経験したことも、VRを経験したこともない人のほうが、まだ圧倒的に多いのは事実です。

VRデバイスは日常的に扱うにはハードそのものが重く、ARグラスも普及するにはま

「ソード・オブ・ガルガンチュア」でマルチプレイをしている様子。プレイヤーが敵の剣で攻撃を受けたところ。

だまだ時間がかかるでしょう。短期的なビジネスを考えるならば、普及台数の多いスマートフォンに対応したメタバースが市場では有位なはずです。それでも、VRデバイスは時間の経過とともに技術的に洗練され、やがて多くの人が自然に受け入れられるものへと変わっていくと私は考えています。

筆者は2019年によむネコ（現Thirdverse）が開発・販売したVRデバイス専用のマルチプレイヤー向け剣戟（けんげき）ゲーム「ソード・オブ・ガルガンチュア」の開発を主導してきました。このゲームはリアルな剣での闘いをテーマにしており、2年続けてオキュラス（現在はメタ）のおすすめゲームに選ばれるなど高い評価を獲得しました。

「ソード・オブ・ガルガンチュア」は、4人で協力しながら101階層の「テサラクトアビス」と呼ばれるダンジョンに潜り、最終的にガルガンチュアという強大な敵を打ち破ることを目的としたゲームです。将来的なメタバースの技術的基盤となりうる、剣戟のマルチプレイ技術を確立するために開発が行われました。

開発を通してわかったことは、VR空間のなかでは人間の知覚に影響を与える不思議なことが起こりうるということです。そもそも剣戟のゲームですから、家庭用ゲームではボタンを押すだけでいいものが、VRでは自分で剣を振る動作をしなければなりません。そうすると、その軌道に合わせて仮想の腕と剣が動き、場合によっては敵の剣との衝突も起きたりします。これは家庭用ゲームの体験とは決定的に異なります。そうしてVR空間のなかで何度も剣を振るっていると、アバターが自分自身と完全に一体化していく感覚を得られるようになるのです。敵の剣が当たると、痛みは感じないはずなのに、思わず「痛い」という言葉が出るようになります。

また、複数人でプレイしていると、そこでも不思議なことが起こります。VR空間にいる別のプレイヤーのアバターが、まさにそのプレイヤー本人のように思えてくるのです。すでに述べたように、VRデバイスは頭と腕の動きからしか座標情報を得ることができません。そこでゲーム内では、そこから足の動きをシュミレートして、アバターの全身像を表示させています。ただ、それだけでも「現実の人間がいる」という強い実感が得られるのです。

こうした現象は、映像品質の良し悪しがポイントではないことがわかっています。現在のクエスト2の画像の表現能力は低く、一昔前の家庭用ゲーム機の画面のようで、最新のゲーム機に比べると劣っているように感じられるでしょう。しかし、いったんVR空間に入ると、意外にも画質の違いは気になりません。むしろ、登場する敵や自分の武器が、現実のものとして自然に感じられるように表現されているかということのほうが、VR空間に実際にいるという感覚に大きな影響を与えているのだと、私の経験からも言うことができます。

もっと言えば、一度、VRに慣れてしまうと、VRを使わない状態は味気なく感じられてしまうほどです。なぜ、ザッカーバーグ氏が「没入感」や「実在感」を重要視するのか。それは彼が、VRデバイスだからこそ生み出せる圧倒的な体験の豊かさを、理解しているからです。体験の豊かさは、コミュニケーションの深さとも密接に関わっています。人間がメタバースにおいて、他者とより親密なコミュニケーションを取ろうとするならば、自ずとVRデバイスが求められることになるのは間違いないでしょう。

メタバースで過ごす時間は増えていく

とはいえ、いま見てきたようなメタバース像が、すぐに実現するとは考えにくいのも事実です。これに関して、調査会社ガートナーは、2026年までに「人々の25%は、仕事、ショッピング、教育、ソーシャルやエンターテインメントなどで、1日1時間以上をメタバースで過ごすようになる」と予測しています。ここで言うメタバースには、VRだけではなく、スマートフォンやパソコンで利用されるメタバースが含まれています。

ガートナーは毎年、さまざまな技術が社会に受け入れられている段階を評価する「ハイプ・サイクル」を発表しています。「ハイプ・サイクル」によると、技術は「黎明期」「過剰な期待のピーク期」「幻滅期」「啓発期」「生産性の安定期」という形で移行すると考えられています。興味深いのは、多くの技術が登場後に目新しさから過剰な期待を受け、その期待が技術進歩よりも先行することで幻滅期に入るという指摘です。

例えば、VRは2017年には幻滅期を過ぎて安定期に入っており、今後2～5年で普及が進むとされています。実際に2020年にクエスト2が登場したことで、ガートナーの予測通りVRは大きく広まりました。一方のARは、2018年が幻滅期の底であり、普及には5～10年かかると予測されています。またNFTは2021年が期待のピーク期であり、2022年に幻滅期を迎えるとされています。

メタバースはさまざまな技術の集合体であるため、過去にハイプ・サイクルの独立した分析対象として登場したことはありません。そこで、今回メタバースを対象に新たな予測が行われました。ガートナーの予測は次の通りです。

- 仮想クラスルームへの出席、デジタル空間上の土地の購入、仮想住宅の建築といった別々の環境で行われていたことが、さまざまなテクノロジーや体験にまたがる単一の環境で行われるようになる。
- メタバースは、没入感を提供し、タブレットからヘッドマウントディスプレイまで、特定のデバイスに依存せずさまざまなデバイスからアクセスが可能になる。
- メタバースは単一のベンダーが所有するものではなく、暗号資産とNFTによって実現される新たなデジタル・エコノミーになる。
- 仮想オフィス環境を導入することで、企業は従業員によりよいエンゲージメント、コラボレーション、つながりの機会を提供できるようになる。
- メタバースがフレームワークを提供するため、ビジネスの実行においても独自のインフラを構築する必要はなくなる。

最後はややわかりにくいですが、メタバースのフレームワークとは、複数のユーザーが同時にアクセスするための環境や、アバターやワールドを構築するための基本的なセットのことで、それらをプラットフォームが提供するようになり、今後、外部の企業が簡単に利用できるようになる、という予測です。

また、同社のアナリストのマーティ・レズニック氏は「企業は、デジタルビジネスからメタバースビジネスに移行することで、自社のビジネスモデルを、これまでとは全く違うやり方で拡大・強化できるようになります。2026年までに、世界の組織の30%がメタバースに対応した製品やサービスを持つようになるでしょう」と述べています。

ユーザー最大の関心事項はアバター

まだまだメタバースでは、いくらグラフィックスが高度化したとしても、実世界ほどの情報量を生み出すことはできません。そのためアバター一つとっても、他者と違いを明確に表現するために、派手でわかりやすいデザインが採用されていることがほとんどです。

2021年に調査会社ニューズーが、ユーザーがメタバースにどのような機能を期待しているのかを調べたところ、その1位が「アバターの外見を選べる機能」（5・32点／7点満点）でした。2位が、「広告主・スポンサーが提供する無料コンテンツ」（5・26点）、3

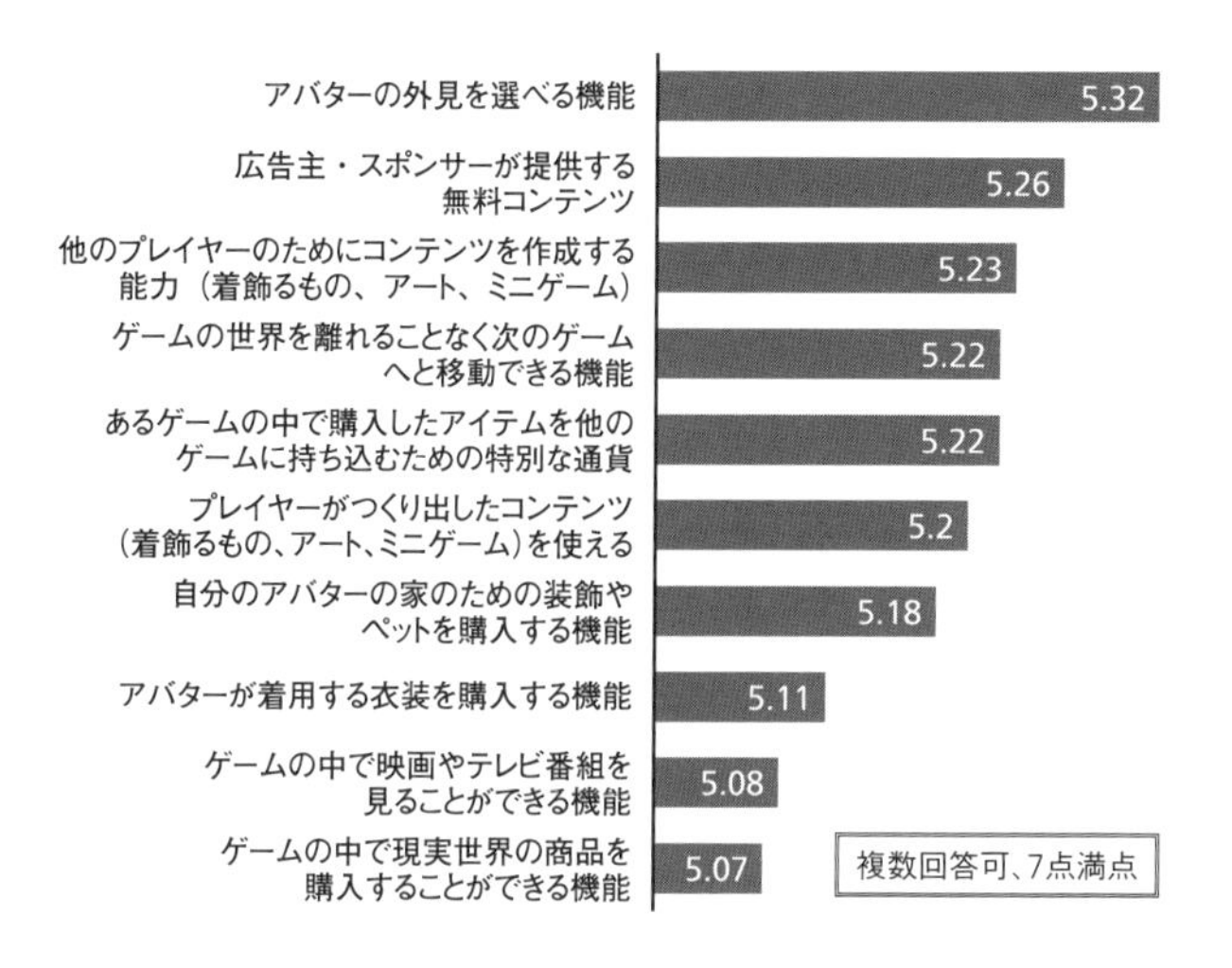

社会性のあるゲームに抵抗感のない14～50歳のユーザーがメタバースに期待する機能（Newzoo Trend Report 2021, Intro to the Metaverse, P.34を元に作成）

位が「他のプレイヤーのためにコンテンツを作成する能力（着飾るもの、アート、ミニゲーム）」（5・23点）でした。

この調査からは、ユーザーがアバターの外見や、アバターを着飾ることについて高い関心を持っていることがはっきりとわかります。実際、アバターやその装飾品の販売は、現在のメタバースサービスにおいて、最大の収益源となっていることが少なくありません。フォートナイトでは毎月新しいアバターが販売され、大きな収入源になっています。VRチャットでも公式ではないものの、外部サイトを介してアバターを中心としたクリエイター経済が成立しています。

　ゲーム内のアバターデータを改変することは、２０００年代初頭からパソコン用ゲームで行われていました。しかし、パソコン用ゲームはデータを外部に送信するためのハードルが高く、他のプレイヤーと共有することが容易ではありませんでした。それがいまや、クラウド上のサーバーにデータをアップロードするだけで、簡単にデータの共有ができるのです。

　さらにユニティやアンリアルエンジンといったゲームエンジンが無料で利用できたり、無料でありながらプロ用に使えるほどの高機能な３Ｄソフト「ブレンダー」が登場したりしたことで、多くのアマチュアユーザーが開発に参入。ＵＧＣを制作するユーザーの裾野が大きく広がりました。

　先ほどの調査で、２位に「広告主・スポンサーが提供する無料コンテンツ」が入っていることにも着目してよいでしょう。今後もメタバースの成功にとって、どれだけ既存のブランドを集められるかが、そのメタバースの魅力を決めるうえで、重要なポイントになると考えられます。

　実際にメタは、２０２２年６月にデジタル上のアパレルショップ「メタアバターストア」を立ち上げることを発表しました。最初に参入するのは「プラダ」「バレンシアガ」

「トムブラウン」の3つの世界的に知られるファッションブランドです。価格は明らかにされていないものの、アバター用の「デジタル洋服」が販売されます。インスタグラムで使えるようになり、そのうちVRでも使えるようにするとしています。「スポーツブランドやライフスタイルブランドなどによる商品展開にも力を入れ、仮想空間でも自分らしさを表現できるようにする」といい、メタバースのコマース展開のなかで重要な役割を担わせるようです。

これに関連して、2022年3月、バンダイナムコが「ガンダムメタバースプロジェクト」を開始すると発表しました。ガンダムのプラモデルやゲーム、アニメ、音楽といったコンテンツをバーチャルコミュニティで一括りにするというのがコンセプトです。この試みは知的財産(IP)であるブランド自体をメタバース化するという野心的な試みで、他の日本のマンガ・アニメに広がる可能性も十分にあります。日本のIPは、海外でも人気のものが多く、独自プラットフォームとして成立する余地が十分あるからです。

短期的な主戦場はスマートフォン

すでに述べたように、メタバースは短期的には、スマートフォンが主戦場になると考えられます。利用者数だけで言うならば、圧倒的に多いのはパソコンやスマートフォンのユーザーです。ロブロックスやフォートナイトも、スマホ向けのサービス展開に力を入れたことで大きなユーザー数を獲得しました。

いま、繰り広げられているメタバースをめぐる競争は、先行するこれらのサービスをいかに超えるかが問われています。さまざまなミニゲームを複数のユーザーで遊べる遊園地をコンセプトとして、2016年にPCVR向けにサービスを開始した「レックルーム」は、VR版ロブロックスを目指し、UGCの仕組みの機能を強化することによって、VR内に自分好みの空間をつくれるようになっています。

この「レックルーム」もユーザー拡大を目指して、2019年にiPhone対応、2021年にアンドロイド端末への対応を行いました。VR版は現在400万人あまりの月間アクティブユーザー数がありますが、スマホ版ではそれを上回る500万を集めているとされています。こうした集客力を活かし、バスケットボールのNBAとのタイアップを展開。専用のアバターを提供するなど、ブランドの取り込みにも力を入れつつあります。

日本のメタバースサービスの「クラスター」も、PCVR専用としてサービスを開始し、さまざまなセミナーが開催できるサービスとして注目されましたが、2020年にKDDIとともに「渋谷区」公認の配信プラットフォーム「バーチャル渋谷」を立ち上げてからは、スマホサービスにも力を入れるようになっています。

また、メタも２０２２年2月にザッカーバーグ氏が同年中にモバイル版ホライズンワールドを開始する計画を明らかにしました。ザッカーバーグ氏は「最も没入感のある体験ができるのはバーチャルリアリティですが、フェイスブックやインスタグラムのアプリからも世界にアクセスできる」と、同社の既存サービスとの連携を強化する方針を述べています。

ブロックチェーンやNFTを使ったメタバースでは、いまだブラウザでのサービスが主流です。ただし、暗号資産やNFTの取引などはスマートフォンアプリ上で行うことが一般化しつつあります。一部のサービスでは、VRへの展開も進めているものの、その数は限られているというのが現状です。

スマートフォンもVRデバイスも、アップル、グーグル、メタなどのプラットフォーマーがしっかり押さえている分野であるため、そこに参入すると手数料を取られるなど不利な面があります。そのため新しい勢力にとっては、あまり魅力的に見えていないのかもしれません。

VRデバイスの一強状態は当面変わらない

VR・ARデバイスを中心としたメタバースが広がっていくうえで、成長のボトルネックとなり続けるのはハードウェアの普及速度です。クエスト2の販売台数は、調査会社I

DCの推計で2022年5月までに約1500万台に達しています。これは同時期の推計でPS5が2000万台、XboxシリーズX／Sが1400万台の販売台数であることを考えると立派な数字であり、2022年内に2000万台を超えることはほぼ確実です。VRデバイスの一強状態は当面変化しないと考えられます。

一方で、クエスト2に使われている半導体の性能はVR空間を十分に表現するには力不足で、理想とされる目標からはまだまだ遠いと考えられます。短期間で、この性能が大きく向上する見込みは薄いでしょう。

現在、最高品質のVRとパススルーARを実現しているハードウェアとしては、フィンランドのヴァルヨ（Varjo）が販売している「ヴァルヨXR-3」があります。人間の肉眼と変わらない解像度のモニターを搭載しており、カメラを通じて自分がいる周辺環境を映像として取り込むカラーパススルーの精度も極めて高いハイエンド機です。使用するには超高性能なパソコンにケーブルで接続する必要がありますが、ケーブルさえ気にしなければヘッドセットを着けたまま歩き回ることも可能です。

「ヴァルヨXR-3」は、現実世界の映像の上に自動車のCGを表示させても、完全に違和感がないほどの描写力があります。実際に着けたまま自動車の運転を安全にできるかという実証実験が行われており、VRデバイスの一つの究極のゴールとも呼べるハードウエアです。しかし、価格はハード単体では約６０００ドル、年間サポート費用として1年につき約１５００ドルかかります。また、このハードは６０００ドル以上する現在考えうる限りのハイエンドなパソコン環境でなければ適切に動作してくれません。つまり、初期購入時に１万３５００ドル以上の費用が必要なのです。

それゆえ、クエスト2とのコンピューティングパワーの差は大きく、専用のアプリで計測すると、じつに23倍もの開きがあります。ＰＣＶＲの最低スペックと言われている環境と比較しても、クエスト2とは5倍以上の差があります。このＰＣＶＲとの大きな差を、何年で埋めることができるのかがポイントです。しかし、一体型のＶＲ・ＡＲデバイスに使われる半導体は、消費電力が高すぎるとバッテリーの消耗が速くなるという課題を抱えているため、急速に性能を引き上げることを避けています。そのため、今後も劇的に性能が上がることは考えにくく、現在の性能進化のペースで行けば10年経っても現在のＰＣＶＲのスペックに及ばないことが予想できます。

安価なクラウドストリーミングを使えるといった大きな技術的ブレイクスルーが登場しない限り、一体型のＶＲ・ＡＲデバイスにおいて劇的な表現力の向上は起こりにくいのです。限られた性能のなかでどれだけ体験を豊かにできるかが、これから問われるようになるはずです。

相互運用性は実現するのか

米シティグループの予測では、コミュニティが所有し、コミュニティにより統治され、自由で安全なメタバース間での相互運用性が実現される「オープンメタバース」という未来が将来起こりうる可能性として示されています。しかし、そのための仕様を誰がどのようにしてまとめるのかということも、各社頭を痛めている問題でしょう。

アバター一つとってみても、例えばメタは、自社のアバターシステム「メタアバターSDK」を配布し、開発者が自分のつくったゲームにメタのアバターを登場させられるような環境を整備しています。このアバターはメタの展開するクエスト2内のメタバースやフェイスブック、インスグラムなどでは利用できるのですが、他社のメタバースで使用することができません。現在は他社との相互運用性は考慮されていないようです。システム内での体験をすべて自分たちでコントロールし、利用者に対して確実な安全性を提供するためには合理的な選択肢であるのかもしれません。

特にアバターシステムは「メタバースでの富の源泉」と言える存在でもあります。そのため、多くのプラットフォームが自社の規格をディファクトスタンダードにするべく動いていたり、もしくはプラットフォームが外部へと開かれない状況を維持する対応をとっていたりします。例えば、VRMフォーマットの採用例は、日本の企業などの一部に限られています。最もＶＲＭ由来のアバターデータが使用されているはずの、ＶＲチャットでも正式に採用する動きは見せておらず、あくまで自社独自フォーマットの拡張を続けています。

多数のメタバースの登場は、やがて相互運用性の実現につながっていくのではないか、という楽観的な将来予想もないわけではありませんが、結局は部分的な実現にとどまり、それぞれのプラットフォームが「壁に囲まれた庭」として囲い込みを行うような状態が続くのではないかと考えられます。

ただし、ＮＦＴの技術は、相互運用性を生み出すためのプロトコルの一つになるうる可能性を秘めてはいます。現在の技術では、ＮＦＴに複雑なデータを組み込むことはできません。データ容量が多くなればなるほど、ガス代（送信に必要なコスト）が増加してしまうからです。アバターやアイテムのデータはどうしても一定量大きなサイズになってしまいます。しかし、それらをアバターフォーマットとして定義することで、ガス代を劇的に押し下げるような方法論が今後開発されていくと予測できます。

それが、どのサービスでも共通に使えるような形で公開され、対応したメタバース間で自分のアバターやアイテムを移動させたり、それによってビジネスをしたりできるようになるのは、十分に起こり得る未来でしょう。

メタバースビジネスの進化

現在のメタバースは初期の市場であるため、プラットフォームの乱立が起こっています。それぞれのプラットフォームがUGCを独自仕様で展開しています。そうなると、重要なのが、開発ツールです。各社とも開発ツールやSDK（ソフトウェア開発キット）の充実を急いでいますが、今後はそれらをいかに簡単に使えるようにできるかが焦点になってくるはずです。

現在の開発ツールは使いこなすのに専門技能が必要で、操作方法を覚えるだけでも高いハードルが存在しています。しかし、すでに見てきたように、それぞれのメタバース向けにUGCツールを駆使して、独自のアバター、アイテム、ゲームなどを販売する企業が次々に登場しています。

初期のインターネットでは、ホームページをHTMLで直接書いていた状況が、ブログサービスの登場によって一変しました。また、eコマースにおいては、アマゾンや楽天などのプラットフォームを使えば、最低限の方法を学ぶだけで、容易に商取引が行えるようになりました。これと同じことが、今後、メタバースでも繰り返されるのは間違いないでしょう。いまのメタバースのUGCツールは、まだまだ複雑です。それを誰でも扱えるようにするための競争は、各プラットフォーマーにとっては最重要課題であり、開発力をもったユーザー（クリエイター）の囲い込みも熾烈になっていくはずです。

ＶＲデバイスでは独占的な地位を築いているメタでさえ、メタバース全体においてはそのような地位にはありません。多くのプラットフォームがメタに挑み、その覇権争いのなかから圧倒的に使いやすいフレームワーク、共通のファイルフォーマットが登場し、対応するメタバースであればどこでも使えるという流れができる可能性は十分にあります。

また、短期的には普及に課題を抱えているとはいえ、ＶＲ・ＡＲデバイスも、時間が経つにつれて軽く扱いやすいものへと発展していくでしょう。ＶＲ元年と呼ばれた２０１６年と比べても、さまざまな技術革新が生まれるにつれて、予想もしなかったような新しいビジネスチャンスが出てきています。それはアバタービジネスであったり、仮想空間でのコンサートビジネスであったり、展示会ビジネスであったり、現実の商品と結びついたコマースであったり、ＶＲ空間を使った広告であったりしますが、こうした展開はさらなる進化を遂げていくはずです。

大きな技術トレンドから見たメタバース

最後に少し大きな話題にも触れたいと思います。それは、メタバースが最終的にはデジタル上の「不死」を目指す、大きな技術トレンドの一部であるということです。

２０１９年に映像監督のケイイチ・マッダ氏が発表した「マージャー（Merger）」という３６０度画像でつくられた４分ほどの短編映画があります。彼は将来のＡＲが普及した世界でユーザーインターフェース（ＵＩ）がどうなるかを映像化した短編映画「ハイパーリアリティ（HYPER-REALITY）」でも知られています。現在は、ナイアンティックのＡＲ技術を使って、現実空間と重ね合わせる適切なＵＩデザインの開発を行っているようです。

この映画では、ＸＲを使って３６０度すべてがモニターとなっている環境で働く一人の女性の姿を描いています。彼女の労働環境は、ＡＩによって用意され、見えている範囲いっぱいにさまざまなＵＩが登場し、それらは彼女の仕事の生産性を上げるために最適化されています。

彼女は、友人や家族との関係、自分の余暇の時間も生産性向上のための最適化に使うようになり、次第に孤独になっていきます。結局は、さらなる生産性を求めて、自分自身をＡＩと融合させるということが示唆されて物語は終わります。

はたして、メタバースはこうしたディストピアへとつながっているのでしょうか。多くの人にとって、メタバースで仕事をしたいと思う理由の一つが、生産性の向上にあることは間違いないでしょう。しかし、そういう人たちの生産性は、先ほどの映画における生産性とはやや違うものがイメージされているように思います。

メタバースの重要な機能としてよく強調されるのが、ソーシャル性です。「距離に関係なく」「さまざまなデータを自由に操ることができる」ため、コラボレーションが容易になるという側面です。今後も、メタバースが力を発揮するのは、個人同士の関係から組織形成まで、複数の人が関わる環境だと考えられます。個人を孤立させるのではなく、緩やかなつながりから、直接的な会合まで、それらのことを時々に合わせて、簡単に実現できるようにすることが大きなテーマとなっていくのではないでしょうか。

また、すでにUGCを積極的に組み込んでいるメタバースで具現化しているのは、多種多様な幅を持った自己表現の登場です。しかし、それは必ずしもビジネスを前提としているわけではなく、大半の人たちは、単に楽しいから創造行為を行っているという実情があります。このように、メタバースは孤独というディストピアの反対を目指すこともできる技術なのです。

メタバースという「現実」

いずれにしても、メタバースにとってAI技術の発展は、ますます重要な要素となるでしょう。ここで言うAIは単純な人工知能というより、もっと幅の広い領域を指しています。例えば、ＶＲ空間のなかで、あるオブジェクトを投げ、それが何かにぶつかって、ぶつかったものが崩れる、といった物理制御の技術は、かつてＡＩと呼ばれていました。しかしＡＩは特定の要素技術へと切り出されると、ＡＩと呼ばれなくなります。

じつは、この物理制御の精度が上がるかどうかで、没入感は大きく変わります。視覚を通じてフィードバックが適切に得られるかどうかで、人間は目の前のものがリアルに存在するかどうかの判断をしているためです。しかし、現実の物理現象をきめ細かく再現するには莫大な計算量が必要となるため、現在のコンピューティングパワーでは足りず、まだまだ発展途上の技術です。それでも、今後も確実に進歩していく分野であることは間違いありません。

いまメタバースの世界で、大きく着目されているＡＩ分野としては、ユーザーの「動き」を正確にトラッキングする技術が挙げられます。グーグルの検索エンジンが、ユーザーのウェブブラウジングの動きを記録したログデータから最適な広告データを表示したり、フェイスブックも投稿した記事から利用者の関心をトラッキングして最適な広告を表示したりしていますが、こういったことがメタバースの世界でも起こりえます。

メタバースでは、ＶＲ・ＡＲを通じて、ユーザーの内面に踏み込んだ情報を集めることが可能になります。それらを解析することで、個々のユーザーがどのような指向性を持っているのかをトラッキングするＡＩの開発が行われてくるでしょう。もちろん、プライバシーの問題と深く関わるため、慎重に行われるでしょうが、一方でユーザーも自分が求める行動へのアシストをより具体的に受けられるようになる可能性があります。

メタは２０２２年2月にＡＩ分野に力を入れて取り組んでいることを明らかにしています。ＡＲグラスのイメージ動画では、料理中にユーザーが何の作業をしているかを解析して、次に行うべき手順を示したり、調味料の置き場所や投入具合について提案したりといった、調理者のサポートを行うようなＡＩを開発していることが示されていました。

また、現在のＵＧＣは、まだかなりユーザー個人の開発力に依存しているという状況ですが、いずれはＡＩのサポートの入る余地が大きくなると予想されています。メタバース関連企業へも積極的な投資を行っているベンチャーキャピタルのアンドリーセン・ホロウィッツのジェネラル・パートナーのジョナサン・ライ氏は、コンテンツ制作において段々とＡＩの占める割合が高くなるだろうと予測しています。

実際に、最新のゲーム開発の現場では、すでに背景データはＡＩを使って自動生成を行っており、それをゲームに合わせて調整していくという作業が一般的になりつつあります。こうした役割分担がメタバースでも実現されていくだろうという意見です。無限とも思えるような広大な世界が、ＡＩによって自動的につくり出される。そんな日が訪れるのはそう遠くないかもしれません。また、ゲーム内に登場するキャラクターも、会話ＡＩや音声認識ＡＩの発達を通じて、どんどん人間らしい対話を実現しつつあります。

これらのＡＩの発展は、メタバース内でユーザーの大量のログデータを収集して再構成することで、自分そっくりの外見を持ち、同じような反応をするＡＩを生み出す可能性を感じさせます。すでに外見が自分そっくりなアバターは、表情の動きまで含めて実際に作成することが難しくない段階に入りつつあります。

もしメタバースに外見も反応も自分そっくりの存在がいるのだとしたら、「私」とは、「自分」とは何でしょうか。私は、メタバースという技術は、デジタル上で「不死」を生み出すことに最終的には向かっていくのではないかと考えています。メタバースは生活や仕事に関する概念を変えるだけでなく、自分自身のデジタルクローンを生み出し、やがては人間の死の概念さえも変えてしまう可能性があるのではないかと思うのです。

もちろん、一朝一夕にそれが実現されることはありえません。しかし、そこに向かって新しい技術が登場し続けることでしょう。そして、その一つひとつが、新しいビジネスチャンスを生み出します。いまのメタバースビジネスは、アバターをはじめ収益化の目処が立っている一部のものに集中していますが、必ず、それ以外の領域へも広がっていくはずです。

メタバースを中心とした現実と仮想との融合は、短期的には人間がお互いを支え合い、その弱さを癒していける場所であるかどうか、孤独である人たちが支え合う世界を広げていけるかどうかが普及するうえでの鍵と言えます。しかし、長い目で見たときには、人間が時間や空間という制限を超えて存在するための方法として、広がっていくのではないかと感じます。

メタバースに暮らす。それが当たり前になる未来は、空想ではなく、もう目の前にある現実なのです。

おわりに

私にとってのメタバースへの入り口は、２０１４年に開発用ＶＲハードウェアのオキュラスリフトＤＫ２を触ったときでした。GOROmanことエクシヴィの近藤義仁氏が作成したボーカロイドの「初音ミク」が目の前に現れるアプリ「Mikulus（ミクラス）」を自宅で起動した際に、真っ黒な空間に浮かぶ３Ｄの初音ミクが私のほうに微笑みかけているだけで、何かとてつもないものを見ているような気持ちにさせられました。そこに本当に実物が存在しているかのような、強烈な実在感があったのです。モニター越しの２Ｄ映像を見ることとはまったく違う体験でした。

そのとき私は、こうした３Ｄによって、見たこともない新しい世界がこれから次々に生み出されていくことになるのではないか、と直感的に感じました。実際にアメリカでは、メタバースをつくることを西部開拓時代になぞらえて、「新しい土地を開拓している」という比喩で表現することがあります。コンピュータ内のことなので、すべての現象をプログラムやデータを使って表現しなければなりませんが、無限とも言える「土地」を新たに手にする可能性を人類が持ち得たと考えられたからでしょう。

しかし、当初のデバイスはまだVRのデータをかろうじて出力するのが精一杯で、可能性は感じられるものの、この技術が社会のなかで一般化していくには長い時間がかかるだろうとも思いました。ですが、それから8年が経過し、コンピュータの性能や、ソフトウェアによる用途の拡大が起きた結果、実際にメタバースと呼ばれる仮想的な社会を生み出すことが可能なところまで技術の進化は急速なスピードで進んでいます。

今後、メタバースは人間と人間とのコミュニケーションを促進する選択肢の一つとして、無限の可能性とともに広がっていくでしょう。世界というものは、ある日、突然変わっていくわけではありません。多くの人がイノベーションの努力を続けることで、それが形となってさまざまな姿で現れ、やがて多くの人にとって当たり前のものへと変化していきます。そして何より、たとえデジタルですべてが構成されているとしても、メタバースがたしかに人間によって生み出されているものであるということを、私は今回の取材を通じてより深く感じるようになりました。

最後になりますが、この本の執筆を実現するために、数多くの方のご協力をいただきました。

Thirdverseの國光宏尚さんへの感謝は尽きません。私自身も参画する形で、2015年に日本初のXR向けのインキュベーションプログラム「Tokyo XR Startups」を立ち上げて、20社を超える多くのXR企業を輩出することができました。ここから日本を代表するXR企業も登場しつつあります。その一方で、私が創業したよむネコ（現Thirdverse）も投資を受け、VRマルチプレイ剣戟ゲーム「ソード・オブ・ガルガンチュア」の開発と発売も実現することができました。その過程で、VRやメタバースについて多くの洞察を得ています。Thirdverseでは、大野木勝さん、伴哲さん、稲川昂文さん、藤川幸一さんに特にお世話になりました。またVenture Reality Fundのティパタット・チェーンナワーシンさんには、いつもXRを知るうえでのさまざまなヒントをもらい続けてきました。

「ソード・オブ・ガルガンチュア」の開発には多数のスタッフに関わっていただきましたが、特にリリース後の運営で多くのことを学ぶことができました。そこに関わっていただいた権藤丈人さん、疋島康成さん、安藤邦弘さん、出島大輔さん、斎藤正之さん、小藤祐揮さん、長瀬七夕さん、ジェシカ・フリサンさん、佐藤はるかさん、渡辺博孝さん、Joao Lopesさん、Bobbie HG Merveilleさん。そして、このゲームを支持してくださった皆さん。特に、スタジオNGCのえどさん"、滝口巧さん、野水伊織さん、アゼルさんや、一般のユーザーとして支えてくださったＶＲ剣士のアラヒシ・サカチさん、曦嚥眞旅（ギエンマタビ）さん、仮面さん、さくらもちさん、ままぴょさん、もろみショックさん、長い間遊び続けて新しい遊び方を発見するなど数多くの洞察によってゲームサービスの発展に貢献してくださった数多くのユーザーのみなさん。

「レディ・メタバースセミナー」でいつも協力いただいてきたブレイクポイントの若山泰親さん、村上賢誠さん。いつも、大学院での活動を支援してくださるデジタルハリウッド大学大学院の木原民雄教授、沖昇さん、池谷和浩さん。さらに、ＶＲハードの父でありアンドゥリルのパルマー・ラッキーさん、メタの池田亮さん、アウリンの駒形一憲さん、double jump.tokyoの上野広伸さん、松谷幸紀さん、オアシスの松原亮さん、Web3リサーチャーのコムギさん、mikaiの上村隆博さん、ＶＬＥＡＰの新保正悟さん、バーチャル美少女ねむさん、モバイルスキャン協会理事の岩間輝さん、バーチャルキャストの岩城進之介さん、クラスターの加藤直人さん、ＨＩＫＫＹの舟越靖さん、国際カジノ研究所の木曾崇さん、立命館大学映像学部の中村彰憲教授、パノラプロの広田稔さん、Moguraの久保田瞬さん。

そして、何よりも妻と息子と娘と1匹の猫。遠方にありながらさまざまな形で支えてくれる父。開発に関わったり、ベンチャーで仕事をすることは、何よりもジェットコースターのようで、常に心配をかけていますが、お陰でなんとかやってこれたと思います。
本書の刊行にあたってはＮＨＫ出版の山北健司さんのご協力をいただきました。いやあ、書いている最中に世の中の状況が変わっていくという大変な本へのお付き合い、本当にありがとうございました。

この本は、メタバースを通じて、いまという時代状況を切り出している本でもあります。いまはメタバースが遠い世界ではなく、身近な世界へと切り替わろうとしている転換点です。一人でも多くの方にとって、この世界への理解を深めるための手助けとなれば、これほど嬉しいことはありません。発展は続き、状況はまた刻々と変わっていくでしょう。それを楽しみながら、私自身も日々の活動を続けていきたいと思います。

２０２２年７月

新清士

P124　YouTube ／ Microsoft「Satya Nadella Ignite 2021: Mesh for Microsoft Teams」（2021）
https://youtu.be/lLPYSsqyukk

P127　Microsoftホームページ
https://www.microsoft.com/en-us/hololens/hardware

P137　YouTube ／ Google「Google Keynote（Google I/O '22）」（2022）
https://youtu.be/nP-nMZpLM1A

P163　YouTube ／ Lightship AR「Lightship Summit / Opening Keynote」（2022）
https://youtu.be/1K4klOUBL6c

P170　Axie Infinity ホームページ
https://whitepaper.axieinfinity.com/gameplay/battling

P174　YouTube ／サンドボックスゲーム…「The Sandbox New Official Teaser 2021 - Gaming Virtual World with NFTs on the Blockchain」（2021）
https://youtu.be/Zg5vcdEeLOA

P195　YouTube ／ Vket Channel「【VirtualMarket2021 開会式 Opening Ceremony】」（2021）
https://youtu.be/VACOLqSPOB4

P205　YouTube ／ Sundance Institute「Meet the Artist: Joe Hunting on "We Met in Virtual Reality"」（2021）
https://youtu.be/WSNJUngJ_fQ

P207　株式会社Thirdverse「ソード・オブ・ガルガンチュア」プレスリリース（2021）より
https://prtimes.jp/main/html/rd/p/000000053.000024885.html

写真出典一覧（URLはすべて2022年7月現在のもの）

P17　YouTube ／ Meta「The Metaverse and How We'll Build It Together – Connect 2021」（2021）
https://youtu.be/Uvufun6xer8

P21　Meta「Introducing Oculus Quest 2, the Next Generation of All-in-One VR」（2020）
https://about.fb.com/news/2020/09/introducing-oculus-quest-2-the-next-generation-of-all-in-one-vr/

P31　YouTube ／ Unreal Engine JP「The Matrix Awakens: An Unreal Engine 5 Experience JP」（2021）
https://youtu.be/lQXwvfqm1S8

P33　ROBLOX NIKELANDホームページ
https://www.roblox.com/nikeland

P47　YouTube ／ Second Life「Shopping & Buying Linden Dollars in Second Life - New User Tutorial」（2019）
https://youtu.be/hRwavBUbhFY

P58　YouTube ／フォートナイト公式「フォートナイト チャプター 2 ／ローンチトレーラー」（2019）
https://youtu.be/2Fg5ZIdQ7bM

P69　ROBLOXホームページ
https://www.roblox.com/home

P86　Facebook Technologies, LLC「HORIZON WORLDS OPENS TO THOSE 18+ IN THE US AND CANADA」（2021）
https://www.oculus.com/blog/horizon-worlds-opens-to-those-18-in-the-us-and-canada/

P98　Meta「『Horizon Workrooms』を発表：リモートでの共同作業を再構築」（2021）
https://about.fb.com/ja/news/2021/08/horizon-workrooms/

P103　YouTube ／ Meta「The Metaverse and How We'll Build It Together – Connect 2021」（2021）
https://youtu.be/Uvufun6xer8

校閲　金子亜衣
図版作成　手塚貴子
ＤＴＰ　佐藤裕久

新 清士 しん・きよし
1970年生まれ。デジタルハリウッド大学大学院教授。
慶應義塾大学商学部及び環境情報学部卒業。
ゲームジャーナリストとして活躍後、
VRゲーム開発会社のよむネコ(現Thirdverse)を設立。
VRマルチプレイ剣戟アクションゲーム
「ソード・オブ・ガルガンチュア」の開発を主導。
著書に『VRビジネスの衝撃——「仮想世界」が巨大マネーを生む』
(NHK出版新書)がある。

NHK出版新書 682

メタバースビジネス覇権戦争

2022年8月10日　第1刷発行

著者　新 清士

発行者　土井成紀

発行所　NHK出版
〒150-8081 東京都渋谷区宇田川町41-1
電話 (0570) 009-321(問い合わせ) (0570) 000-321(注文)
https://www.nhk-book.co.jp (ホームページ)
振替 00110-1-49701

ブックデザイン　albireo

印刷　壮光舎印刷・近代美術

製本　二葉製本

Printed in Japan ISBN978-4-14-088682-3 C0233